LE MASSAGE
ÉROTIQUE

Photos de la couverture et des pages intérieures:
Thierry OM Debeur
Maquette de la couverture: Le Graphicien Inc.
Modèles: Céline Meilleur et Gilles Connolly
Coordination décorative: Huguette Béraud
Typographie et mise en pages: L'Enmieux

ÉDITIONS FRÉMONTEL INC.
Montréal, Qc.
ISBN: 2-920811-25-8
dépôts légaux: 2e trimestre 1989

PIERRE IVES

LE MASSAGE ÉROTIQUE

ÉDITIONS **FRÉMONTEL** INC.

«Nous avons été pervertis par cette
notion, constamment répétée et
imposée, que le sexe est péché.»

Bhagwan Shree Rajneesh,
Book of Secrets.

INTRODUCTION

Le massage érotique n'est pas un «gadget» sexuel. Vous ne trouverez pas dans ce livre des recettes miracle destinées à vous donner ipso facto la maîtrise totale et inconditionnelle de vos sens et de ceux de votre partenaire.

Si c'est ce que vous imaginiez, un conseil: cherchez ailleurs! Le massage érotique, son nom le dit clairement, est avant tout un massage. Comme tel, il vous demande un tant soit peu de bonne volonté de manière à ce que vous puissiez en maîtriser les différentes techniques. Car, avant d'être érotique, il s'identifie au massage intégral, c'est-à-dire que vous devrez masser toutes les parties du corps selon des règles bien spécifiques avant de passer à des expériences plus... intimes!

En revanche, si vous vous astreignez à suivre la démarche préconisée dans les pages qui suivent, vous pourrez constater que votre vie sexuelle s'en trouvera améliorée. Le massage étant un instrument de communication privilégié, à une époque où les gens ont tellement peur de se toucher, il vous permettra de mieux découvrir la géographie sexuelle de votre partenaire, de tracer sa «carte érotique» et, dès lors, vous pourrez explorer une autre dimension de votre vie amoureuse.

Encore une fois, répétons-le, il ne s'agit pas de «potion magique». Nous voulons plutôt vous apprendre à découvrir le pouvoir de vos mains, à vous faire goûter le plaisir intense qui peut naître des caresses provoquées à la suite d'un massage bien appliqué.

Mais avant de parvenir à ce «paradis perdu» qu'il s'agit de retrouver, vous devrez vous soumettre à la démarche indiquée. Ne prenez pas de raccourci, vous ne feriez que court-circuiter les effets du massage érotique. Inutile aussi de chercher à acquérir la maîtrise de ces mouvements en quelques séances. Il vous faudra de nombreux essais avant de parvenir à bien contrôler les différentes facettes du massage et du massage érotique.

Mais il faut un commencement à tout! Alors, pourquoi ne pas vous y mettre tout de suite? Les bienfaits que vous en retirerez, vous et votre partenaire, valent infiniment que vous vous soumettiez à cet apprentissage.

Ceci dit, voici de quelle façon nous voyons le déroulement de ce livre. Le massage érotique comporte plusieurs volets interdépendants. Encore une fois, inutile de brûler les étapes, vous ne feriez que gâcher la «sauce». Admettez dès le départ que ces étapes doivent être suivies à la lettre, que cette démarche est essentielle à la réussite du massage érotique. Une fois ce fait admis, vous verrez que tout se déroule selon le plan prévu et... les effets recherchés se produiront comme désiré.

Le massage érotique se divise donc en cinq parties distinctes mais intimement reliées les unes aux autres. Il faut d'abord débuter par le massage complet, concernant toutes les parties du corps. Cette première partie vise évidemment à la détente, à la relaxation. Il s'agit du type de massage dont vous pouvez trouver la description dans nombre d'ouvrages actuellement sur le marché. Puis, la deuxième partie consiste en une série de caresses, ou de mouvements, couvrant tout le corps. Cette section s'enchaîne avec celle qui s'intéresse davantage aux zones érogènes du corps de votre partenaire, mais, autant que possible, en évitant une surexcitation des zones génitales.

La quatrième partie constitue l'étape la plus importante du massage érotique. Elle permet en effet de diffuser dans tout le corps l'érotisme, la sensualité générée par les mouvements précédents, de manière à ce que la jouissance finale soit goûtée par tout le corps et non seulement (comme cela se produit si souvent dans les relations amoureuses «ordinaires») par les parties génitales.

Finalement, la dernière partie s'adresse aux zones génitales comme telles. C'est le prélude à la fusion amoureuse dont nous n'avons pas à traiter ici.

Les mouvements ou caresses décrits dans les pages qui suivent ne relèvent pas d'une seule et unique méthode, mais sont le résultat d'une compilation de différents procédés de massage. Nous avons fait un «collage» de ces différents mouvements de façon à vous présenter une image aussi complète que possible du massage «sensuel» avant de passer au massage érotique comme tel.

Quant aux lignes directrices de celui-ci, nous les devons à George Downing qui, nous semble-t-il, a clairement saisi toute la dimension que permet d'explorer le massage érotique. Les techniques pertinentes à ce dernier ne viennent pas uniquement de Downing, mais de différents auteurs dont nous avons consulté les ouvrages. Vous en trouverez d'ailleurs la liste dans la bibliographie.

Nous sommes de même redevable, quant à une certaine «philosophie» du massage érotique, au tantrisme (néo-tantrisme plutôt) qui permet de jeter une lumière complètement différente de ce que nous, Occidentaux, considérons comme le comportement sexuel. Cette vision tantrique nous a en effet permis d'affiner les différentes techniques présentées ici et même d'en ajouter quelques-unes, sans cependant vous entraîner dans une vision «mystique» de la sexualité. Ce n'est pas notre but. Mais si cette vision de la sexualité vous intéresse, libre à vous de vous orienter plus exclusivement dans cette direction.

Ce livre-collage n'est donc en définitive qu'un hymne au plaisir, le plaisir amoureux. Libre à vous de le consulter ou de le rejeter. Sachez simplement que l'esprit qui l'a inspiré ne diffère en rien de la conduite que vous adoptez quotidiennement: le plaisir! Ce plaisir, pour en goûter les plus grandes manifestations, il vous faudra vous astreindre à certains «exercices» qui ne sont pas toujours faciles. Mais, après peu de temps, quand vous en aurez assimilé les principes, vous verrez que les bienfaits qui en découlent, dans votre vie sexuelle, en valent certainement les petits désagréments.

Chapitre I

LE MASSAGE ÉROTIQUE EXISTE-T-IL?

Il est assez étonnant de constater que les opinions sont partagées sur cette question. En effet, pendant très longtemps le massage a été considéré uniquement comme une thérapeutique, c'est-à-dire un ensemble de mouvements des mains destiné à soulager le corps. Il en était ainsi à l'origine et, sauf à une certaine période de l'histoire, le côté thérapeutique du massage est celui qui s'est le mieux transmis jusqu'à nous.

L'aspect érotique du massage s'est développé, bien sûr, dans les civilisations orientales, mais notre connaissance en est limitée. Par contre, nous savons que ce sont les Grecs qui l'ont perfectionné, en Occident, et qu'à l'apogée de cette civilisation le massage, comme technique érotique, était fort en usage autant chez les hommes que chez les femmes. Ailleurs, en Égypte par exemple, où on connaissait le massage bien avant les Grecs, son aspect érotique était particulièrement prisé. Bien sûr, seule une certaine classe de cette société avait accès à ces divertissements érotiques. Mentionnons que, à l'époque de Cléopâtre, ces massages étaient très en vogue.

Ce sont surtout les Romains qui cherchèrent à profiter le plus de tous les aspects du massage. Surtout à la période de l'apogée et de la décadence de Rome, alors que l'unique but de la vie, chez les nobles et les riches, était de jouir de toutes les manières, on chercha à expérimenter tous les aspects du massage érotique. Certaines femmes de la noblesse n'hésitaient pas à payer très cher pour faire l'acquisition d'un masseur de classe. Ces esclaves, châtrés, à qui on avait coupé les cordes vocales pour éviter qu'ils ne dérangent ainsi la béatitude de leur maîtresse, n'avaient d'autre but dans la vie que de masser en tout temps et à toute heure leurs propriétaires. Mais, sauf quelques fresques et quelques rares commentaires dans Pline, Cicéron, Tacite ou autres historiens de la période romaine, il nous est parvenu peu de chose de ces techniques de massage érotique.

En fait, même aujourd'hui, les experts en massage ne s'entendent guère sur le massage «érotique». Ainsi dans l'ouvrage de Byron Scott, on peut lire ce qui suit:

> *«Parce que le massage fait appel aux sens, il est «sensuel». Il peut devenir érotique comme il peut ne pas l'être. Un seul conseil: frottez doucement et légèrement, soyez érotiques et n'oubliez pas les zones érogènes. C'est tout.»*

Avouez que c'est bien peu!

Quant à Inkeles et Todris, ils affirment que, plaisir ou thérapie, on peut chercher et obtenir du massage l'un et l'autre ou les deux à la fois.

Pourtant, le massage érotique existe bel et bien et, comme tel, il obéit à certaines règles que nous allons tenter de déterminer. Nous avons vainement essayer d'obtenir des informations sur la méthode utilisée par les célèbres masseuses thaïlandaises qui, semble-t-il, réussissent des miracles grâce au massage érotique.

Nous n'avons pu, non plus, obtenir des renseignements sur ce fameux massage oriental, typiquement érotique, qui peut durer jusqu'à vingt-quatre heures. Mais soulignons que, dans ce dernier cas, le but de ce massage n'est pas d'amener lentement et progressivement à l'orgasme, à la décharge de la tension sexuelle, mais plutôt de provoquer la plus haute tension sexuelle qui soit et de la maintenir à ce niveau le plus longtemps possible. Avouons que pour nous, Occidentaux, ce doit être joliment frustrant, habitués que nous sommes à soulager cette tension quand elle devient insistante.

George Downing, pour un, illustre bien la mentalité que nous entretenons à l'endroit du «massage érotique». C'est d'ailleurs la démarche qu'il a adoptée que nous suivons à notre tour ici. Pour lui, le massage érotique est un fait. Et comme pour les Orientaux, le but premier du massage érotique n'est pas nécessairement de provoquer l'orgasme, mais plutôt de provoquer une relation amoureuse plus riche, plus satisfaisante, en induisant le corps tout entier à participer à la fusion amoureuse.

Pour lui, comme pour nous d'ailleurs, le massage érotique est une réalité distincte de ce qu'on appelle couramment le massage sensuel qui ne consiste finalement qu'en un massage de détente, de relaxation, un massage «sensuel» en ce qu'il fait appel aux sens. Mais plus que ce simple appel aux sens, le massage érotique développe une relation particulière avec le partenaire. Si, dans le massage sensuel, on peut tout aussi bien masser ses amis que ses... ennemis, le massage érotique, cependant, met en oeuvre une dynamique impliquant des personnes qui cherchent ensemble à rendre leur vie sexuelle plus intense, plus gratifiante.

Cette vision, loin d'être erronée, est celle du tantrisme où, par la redécouverte de la sexualité humaine, on parvient à l'union ultime.

Il n'est pas question ici de prêcher le tantrisme, mais c'est un fait qu'entre amants il est souhaitable qu'on puisse dépasser les barrières de la sexualité «quotidienne» ou «hebdomadaire» et qu'on cherche à s'unir dans une atmosphère, une ambiance, un climat plus exaltant.

Deux personnes qui ont perdu le goût de faire l'amour ensemble peuvent, à l'aide du massage érotique, redécouvrir une nouvelle dimension à leur vie sexuelle. Le massage érotique peut certainement permettre aux couples déjà heureux sexuellement, une orientation encore plus harmonieuse de leur tension.

Mais il y a un problème.

De dire le docteur Alexander Lowen: «La raideur empêche de s'abandonner aux pleurs et de se laisser aller aux désirs sexuels.» Cette raideur peut être, complètement ou partiellement, éliminée par le massage. Comme le fait remarquer Constance Young, une étude clinique conduite par J.S. Barr, professeur associé de physiothérapie au Duke University Medical Center et par N. Taslitz, professeur adjoint de physiothérapie et professeur d'anatomie à la Case Western Reserve University, permet de conclure que «...le massage a une influence réelle sur les fonctions autonomes du corps». En effet, parmi les bienfaits du massage, notons que celui-ci améliore la circulation sanguine, provoque même des changements dans le sang, améliore la circulation lymphatique, provoque un effet sur les muscles du corps, augmente sensiblement les sécrétions et les excrétions du corps humain en plus d'influer sur le système nerveux, de provoquer des effets psychologiques et de rehausser le teint et la beauté. Donc, le but de la première partie du massage érotique, le massage complet, est justement d'induire dans le corps du partenaire un état de détente et de relaxation de façon à mieux goûter ensuite le plaisir sexuel.

Du tantrisme, la technique d'éveil au désir et au plaisir constitue une méthode très efficace pour éliminer entre deux personnes les barrières qui empêchent de mieux jouir. À tout le moins, cet exercice donne l'occasion aux partenaires de connaître leur «géographie» sexuelle.

Wilhelm Reich l'affirmait déjà, voilà une vingtaine d'années sinon plus: «Une vie sexuelle heureuse est la meilleure assise pour une activité productive.»

D'autre part, «... le plaisir partagé est le fondement de toute expérience sociale... Il permet la découverte de soi-même et des autres... Il est le moteur du changement.» (Max Pagès, *Le travail amoureux*, cité par Mitsou Naslednikov, *Le chemin de l'extase.*)

Dire, comme Scott, que le massage peut être érotique comme il peut ne pas l'être, c'est simplement considérer le massage comme une technique amorphe, fermée sur elle-même, sans ouverture possible et qu'on applique indifféremment à une situation ou à une autre. C'est dire que le toucher, dans le massage, est en quelque sorte impersonnel, que le massage est un tout en soi qui ne contient pas de charge érotique par lui-même. Ce qu'on semble oublier alors, c'est que par-delà la technique, ce qui importe, c'est l'orientation du geste. Et c'est justement cette orientation qui peut changer du tout au tout la charge émotive du massage.

Dans le massage érotique, le massage «sensuel» n'est qu'un bref moment de l'ensemble, un premier pas, une approche, un contact. Il n'en est certainement pas le tout. Le massage érotique, comme le dit si bien Downing, existe en soi et se distingue carrément du massage de détente.

C'est que le massage érotique s'insère dans une relation amoureuse entre deux personnes, s'oriente en quelque sorte vers un moment plus intense, la fusion amoureuse. Il est bien évident que cette orientation donne alors une tout autre «teinte» au massage de détente quand on le voit sous cet éclairage particulier.

Écoutons Bhagwan Shree Rajneesh dans son livre *Le marteau sur la roche*:

«*Le massage, c'est quelque chose qu'on commence mais qu'on ne finit jamais, qui continue indéfiniment et qui devient progressivement plus profond, plus élevé. Le massage, c'est un art subtil. Il ne s'agit pas simplement de l'adresse, il s'agit plutôt de l'amour.*»

Chapitre II

TOUCHER,
PLAISIR ET TENSION

«Il n'est qu'un temple dans l'univers, dit le dévot Novalis, c'est le corps humain. Rien n'est plus sacré que cet objet saint. Nous touchons le ciel quand nous posons la main sur le corps humain.»
Thomas Carlyle, *Les héros et le culte des héros*, in Gordon Inkeles, *L'art du massage.*

Encore est-il qu'il faille le... toucher!

«Freud a manqué de caresses!» lançaient les étudiants iconoclastes pour souligner le fait que le père de la psychanalyse a peut-être manqué... le bateau!

Car le toucher est probablement le plus important sinon le plus complexe de nos sens. Certains théoriciens vont jusqu'à affirmer qu'il n'y a qu'un sens: le toucher. Ainsi, la lumière touche l'oeil avant d'être perçue comme lumière, de même que l'onde vibratoire touche la structure interne de l'oreille avant d'être décodée et perçue comme son!

Ce sens est si important que le célèbre psychiatre américain John Bowlby, dans un document de l'Organisation mondiale de la santé, a montré que la carence de contact physique entre la mère et l'enfant peut mener jusqu'à la mort! Privé de contact physique, comme psychologique d'ailleurs, l'enfant développera des tendances agressives, des comportements anormaux, voire des maladies psychosomatiques.

James Prescott, après de longues études neurophysiologiques portant sur différentes cultures, a montré que c'est la carence, le manque de plaisir corporel, pendant la période formative, qui est la cause principale de la violence humaine.

Nous, Occidentaux, sommes particulièrement bien placés pour constater à quel point le manque de contact physique peut affecter notre comportement social. Nous nous sommes lentement désincarnés, de dire le psychiatre Robert Laing, père de l'anti-psychiatrie.

Alors que l'importance du toucher comme mode de communication est manifeste chez les animaux (on sait que chez certaines espèces, comme chez le rat, le singe et le mouton, le manque de contact physique du petit aboutit plus tard à des aberrations physiques de même qu'à des comportements asociaux), on tente peu de chose pour restituer chez l'humain la plénitude de ce sens.

Heureusement, les séquelles de l'âge victorien se dissolvent au fil des ans et de plus en plus de psychologues tentent de réinsérer dans le tissu social humain la dimension du toucher.

Les études cliniques le démontrent: des parents froids et négligents sont plus dangereux pour l'enfant que des parents démonstratifs, chaleureux. À tel point que certains théoriciens n'hésitent pas à l'affirmer: plus que l'explosion démographique (la surpopulation), plus que le danger d'accroissement de l'armement nucléaire, la privation de sensations tactiles, la privation du toucher, est LE problème le plus grave de l'humanité.

Les séquelles de ce manque de toucher? Comme chez les rats, les singes et les autres espèces animales, on constate des comportements violents, agressifs, asociaux, des maladies psychosomatiques, des problèmes sexuels, etc...

Cet isolement dans un monde où le toucher n'a plus de rôle ne peut que déboucher sur une vaste psychose où la violence devient la seule soupape à l'émotivité ainsi bloquée à l'intérieur.

Un clinicien américain affirmait, en guise de boutade, que si les Américains se touchaient plus souvent ils n'auraient plus besoin de shampooing contre les pellicules!!!

On comprend dès lors que le massage, impliquant un contact physique total pendant une longue période de temps, ne peut qu'être bénéfique pour ceux qui le pratiquent ou qui s'y soumettent. Le massage joue alors un double rôle thérapeutique. Non seulement permet-il d'évacuer la surcharge émotive qui ne peut autrement se disperser à cause du repliement sur soi-même, mais il favorise aussi la communication entre deux personnes.

Le massage est en quelque sorte une ouverture au monde. Il n'est pas question de prétendre que le massage soit le seul moyen de sortir de sa coquille. Bien sûr que non! Cependant, ces quelques considérations montrent assez clairement à quel point le massage peut être le véhicule privilégié d'une communication entre les gens.

Deux amants qui pratiquent le massage découvrent ensemble un autre moyen de communication. Ils ne peuvent que bénéficier de cet apport à leur vie amoureuse.

Le massage est aussi une méthode radicale pour éliminer du corps la tension accumulée. La tension? Évidemment, elle n'est pas totalement mauvaise. Comme le dit Scott, ce n'est pas l'amour qui fait tourner la terre, mais la tension. Tout est affaire de tension: équilibre, système nerveux, ponts, gratte-ciel, bref l'univers n'est qu'un rapport de forces opposées, donc de tension.

Mais attention! Si la tension n'est pas mauvaise en soi, il arrive que, chez l'être humain, cette tension ne sache plus s'exprimer et alors elle devient néfaste.

D'ailleurs il n'y a pas que la tension physique, il y a aussi la tension mentale. On s'entend, chez les spécialistes, à voir des liens étroits entre la tension mentale et la tension physique. Un individu tendu mentalement ne peut qu'être tendu physiquement. Tout comme une tension physique accumulée ne peut pas faire autrement qu'avoir des répercussions sur le psychique. Essayez donc d'être rieur, jovial et d'aimer la vie quand votre dos vous fait souffrir mille morts!

Physiquement, ces tensions non résolues, c'est-à-dire accumulées, se font sentir de toutes sortes de façons, dont les pellicules sont certainement la moindre des manifestations. En plus des maladies cutanées, des maux de tête et de reins, de la constipation, de l'irritabilité ou de la fatigue, la tension peut avoir des conséquences autrement plus graves. Notamment sur le plan sexuel.

Lisez les ouvrages de Hans Selye sur le stress et vous comprendrez rapidement quels effets nuisibles la tension peut provoquer sur le corps.

Ainsi, d'écrire Lowen dans *La Bio-Énergie*: «Il y a des cultures où les douleurs lombaires sont inconnues, où les maladies de coeur sont rares, où la myopie n'existe pas. La différence ne tient pas aux gens. Eux aussi marchent debout, ont un coeur, des yeux. Mais ils ne sont pas soumis à la même sorte ni au même degré de tension que celle qui est le lot de l'Occidental.» (p. 208)

Mais il y a pire:

«Le problème qui se pose à la plupart des gens tient à ce que les tensions de leur corps sont si profondément structurées que la détente orgastique a rarement lieu. Les mouvements convulsifs agréables sont trop effrayants, l'abandon trop menaçant. Quoi qu'ils en disent, la plupart des gens ont peur de s'abandonner à de fortes émotions sexuelles et en sont incapables.» (p. 220)

Voilà le fin mot de l'histoire. Du manque de toucher qui résulte en tensions physiques et psychiques, nous arrivons maintenant à la perturbation de la sexualité.

Bien sûr, le massage n'est pas la panacée universelle. Mais comme moyen efficace et immédiatement accessible pour résoudre les tensions physiques et psychiques et amener lentement à une sexualité plus... satisfaisante, c'est certainement le plus simple à pratiquer! Pourquoi chercher dans une thérapie de groupe à résoudre des conflits qui peuvent se résorber par le simple contact de mains amicales qui induisent dans le corps un sentiment de détente et de relaxation susceptible d'engendrer un autre point de vue sur les gens, son entourage, le monde, la sexualité? Pourquoi chercher dans les pilules, calmantes ou euphorisantes, l'ambiance nécessaire à une vie sexuelle normale alors que le massage permet justement d'atteindre le même résultat et bien plus?

Le massage nous permet de nous libérer de ces tensions nuisibles, de nous délivrer de ce carcan qu'est la «cuirasse» que nous avons développée psychiquement pour nous protéger (nous sur-protéger même) et dont les répercussions sur le physique sont de même nature. Nous en arrivons à vivre physiquement cuirassés de sorte que tout contact nous devient alors impossible.

Cette cuirasse entraîne inévitablement une raideur musculaire, une augmentation de la tension, une rigidité accrue de nos mouvements. Et que dire des répercussions psychiques? Comment peut-on, dans de telles conditions, arriver à une jouissance sexuelle pleinement goûtée?

«Cette cuirasse, de dire Reich dans *L'analyse caractérielle*, rend l'individu moins sensible au déplaisir, mais elle réduit en même temps sa mobilité libidinale et agressive, ce qui entraîne, par contrecoup, une réduction de sa sensibilité au plaisir et de sa puissance créatrice.» (p. 287)

Faut-il se surprendre dès lors que «des personnes fortement cuirassées frappent par leur manque d'érotisme et leur manque d'anxiété»? (Reich, p. 293)

Dès lors, si, comme l'affirme Lowen dans *Amour et Orgasme*, «le comportement sexuel de chacun reflète sa personnalité, de même que la personnalité est une expression des émotions sexuelles» (p. 13), il ne faut pas s'étonner de ce que quantité de gens, de nos jours, connaissent autant de problèmes sexuels.

Le premier pas est donc de nous libérer de ces tensions indues... Pour y parvenir? Le massage. Comme le dit Bhagwan Shree Rajneesh: «Il ne faut que le toucher — le toucher d'amour — et le corps se décontracte...» (*Le marteau sur la roche*).

Par le massage, on se libère progressivement de ses tensions, on s'ouvre au monde, on accepte le contact, on découvre en même temps la sexualité. Ce premier pas d'ouverture franchi, laissez-vous emporter vers la découverte d'une sexualité mieux vécue, explorée, goûtée. Pour en arriver à un mieux-être général.

Car «la sexualité d'une personne fait partie de son existence; son épanouissement se répercute dans son attitude générale de bienveillance, de gaieté et de bonheur. La maturité sexuelle s'exprime dans son apparence physique et ses mouvements. Un corps harmonieux, cohérent, vivant, faisant un tout — ou plus simplement un corps beau et gracieux de mouvements — caractérise l'individu sexuellement mûr. Ces attributs physiques ne sont que la marque d'un esprit libre, indépendant et ouvert à la vie. Ainsi, la sexualité est l'expression de la vie et l'antithèse de la mort.» (Dr Alexander Lowen, *Amour et Orgasme*, p. 68)

Vous avez le goût de vivre? Alors... tournez la page!

Chapitre III

LE MASSAGE, HISTOIRE ET MÉTHODE

Le massage, en tant que science et système de manipulations du corps à l'aide des mains (et, dans certains cas, des pieds), est connu depuis plus de 3000 ans. C'est certainement la plus vieille forme de thérapie que l'homme connaisse et qu'il ait systématisée.

L'origine du massage, en fait, remonte probablement à la préhistoire, bien que nous n'en ayons pas de preuves comme telles. Cependant, si on le considère comme le plus ancien des remèdes, c'est parce que chez l'homme, comme chez certains animaux, il est instinctif. Est-ce qu'on ne se masse pas tout naturellement quand on ressent une douleur à un certain endroit du corps?

Le plus vieux manuscrit dont nous ayons connaissance et qui décrit systématiquement les différentes manipulations du massage, remonte à plus de 2000 ans avant Jésus-Christ. Le *Huang Ti Nei Su Wen*, qu'on appelle le *Classique de médecine interne de l'Empereur jaune*, a probablement été rédigé par Huang Ti qui régna en Chine de 2697 à 2597 avant Jésus-Christ.

On connaît de même le rituel du Chuak'a, forme de massage pratiqué avec un bâton d'ivoire et utilisé par les soldats de Gengis Khan pour se libérer de la peur après les batailles. On dit que c'est Gengis Khan lui-même qui aurait mis au point cette méthode de libération où, exception faite du visage et du dos, on se massait soi-même toutes les parties du corps.

Le massage était connu en Perse, en Égypte. On dit d'ailleurs que du temps de Cléopâtre les patriciennes ne se gênaient nullement pour se faire masser pendant de longues heures... et pas seulement dans un but thérapeutique, mais beaucoup plus pour les stimulations érotiques qu'elles goûtaient aux mains de masseurs ou masseuses.

Alexandre le Grand découvrit le massage lors de ses conquêtes qui le menèrent en Perse et jusqu'en Inde. Dans ce pays, d'ailleurs, le massage était déjà connu. Deux cents ans avant Alexandre, le livre sanskrit *Ayur-Veda* (L'Art de la Vie) mentionne le massage et en fait d'élogieux commentaires. Et pendant ce temps, en Chine, massage et acupuncture se développent concurremment et parallèlement.

À partir des conquêtes d'Alexandre, le massage fait son entrée dans le monde grec. On prétend d'ailleurs que ce furent les Grecs qui raffinèrent les différentes techniques du massage et en répandirent l'usage dans le monde occidental. À l'époque romaine, il n'était pas rare de voir des esclaves-masseurs d'origine grecque.

Ainsi le poète grec Homère qui vécut aux environs de l'an 1000 av. J.-C. (à moins qu'il ne fût, comme certains le prétendent, un personnage purement mythique), décrit certaines séances de massage pratiquées sur les guerriers de l'époque, scène qui n'est pas sans rappeler ce rituel du Chuak'a.

Un des maîtres d'Hippocrate, père de la médecine moderne, Hérodikus (500 av. J.-C.), avait couramment recours au massage pour prolonger la vie de ses vieux patients. Ce qui provoquait les commentaires caustiques du philosophe Platon qui demandait pourquoi prolonger indûment la vie de ces vieillards. Commentaires qui n'empêchèrent d'ailleurs pas Platon de recourir lui-même plus que fréquemment aux massages. Platon, mentionnons-le, vécut jusqu'à l'âge vénérable de 104 ans!

Le philosophe Socrate, maître de Platon, faisait savoir que le massage, à son avis, était aussi indispensable à l'homme que le blé et l'orge, céréales qui constituaient la base de la nourriture de l'époque. Ce qui n'était quand même pas peu dire...

L'historien grec Hérodote (484 - 424 av. J.-C.) fait souvent mention du massage comme technique thérapeutique, et même comme technique pour rehausser la beauté du corps et assurer sa longévité.

Hippocrate lui-même, qui vécut de 460 environ jusqu'à l'an 377 avant Jésus-Christ, incluait le massage dans ses traités thérapeutiques. Galien, autre médecin célèbre qui poursuivit l'oeuvre d'Hippocrate et de l'école grecque de médecine (celui-ci vécut de 130 à 200 de notre ère), entreprit de systématiser et de développer les différentes techniques du massage comme thérapie.

Avec l'empire romain, nous assistons à une généralisation de l'emploi du massage comme moyen de guérison. Les exemples ne manquent pas dans la littérature et l'histoire romaine où le massage est cité comme une méthode miraculeuse pour soulager les maux dont sont affligés les humains.

Asclépiade reprit l'adage de son maître Hippocrate qui disait: «Le médecin doit connaître beaucoup de choses, et le massage est l'une de celles-là!» D'origine grecque, mais pratiquant à Rome, ce médecin célèbre prétendait que le massage est un outil important dans le développement d'un corps séduisant et en bonne santé. Ainsi voit-on se développer la technique du massage comme technique esthétique et non seulement comme thérapie. Bien sûr, à mesure que l'empire romain s'étend et que cette civilisation se dirige vers la décadence, nous voyons aussi apparaître les techniques du massage érotique... Les nobles Romaines ne se gênaient nullement, à l'image des élégantes du temps de Cléopâtre et des Grecques de l'âge d'or, pour se soumettre aux mains douces et caressantes de masseurs et de masseuses qu'on payait à prix d'or sur les marchés d'esclaves.

Le célèbre orateur et avocat Cicéron était, c'est bien connu, d'une santé débile et, de plus, affligé d'un grave défaut de langue. À quoi attribue-t-il l'amélioration de sa santé et surtout le fait qu'il soit devenu un orateur si célèbre qu'on le reconnaît encore aujourd'hui comme une des figures dominantes de l'Antiquité? Au massage! Son médecin fit des miracles. De même que dans le cas de l'écrivain Pline, un des intimes de l'empereur. Pline, autre avocat célèbre, avait été victime d'une terrible maladie alors qu'il était au sommet de sa carrière. Il se soumit aux traitements d'un médecin d'origine grecque, esclave il va sans dire, qui le frictionna avec de l'huile d'olive. Le médecin fit tant et si bien que Pline recouvrit la santé et pria personnellement l'empereur d'accorder à son médecin la citoyenneté romaine. Ce qui n'était pas un honneur accordé au premier venu!

Le grand Jules César lui-même souffrait de terribles névralgies qui n'étaient sans doute pas indifférentes au tempérament coléreux et orageux de l'empereur. Aussi, chaque jour, se soumettait-il à des massages prolongés qui le soulageaient de façon fort satisfaisante puisque de toute sa vie il ne rata jamais une seule séance. Ses masseurs le suivaient partout, où qu'il aille, en temps de paix comme en temps de guerre!

Après la chute de l'empire romain et la montée des hordes barbares en Occident, on assiste à une disparition de l'art du massage. Les Huns, Ostrogoths et autres Goths, comme les anciens Gaulois, Bretons ou Celtes connaissaient probablement certaines formes de massage, mais on possède bien peu de documents qui puissent nous éclairer à ce sujet. Peut-être aussi n'avaient-ils cure de ces techniques qu'ils assimilaient à des remèdes de bonnes femmes ou de femmelettes? Aussi l'art du massage disparut-il presque totalement.

De même au Moyen Âge, où l'Occident ignorait les bienfaits du massage. Ou s'il était pratiqué, c'était par quelques sorciers, sorcières ou alchimistes qui n'avaient aucune envie de révéler au grand public leurs talents de «guérisseurs» de peur de finir sur le bûcher! Pourtant, le massage survivait quand même sous certaines formes plus ou moins folkloriques. À preuve, cette coutume du «toucher du roi» où malades et perclus se présentaient devant leur seigneur pour qu'il leur impose les mains... Semble-t-il que les malades devaient alors être guéris.

Mais les XVIe et XVIIe siècles furent vraiment l'âge noir du massage. Il tomba presque totalement dans l'oubli sauf en de rares occasions où des voix se firent entendre pour souhaiter son usage.

Ainsi le naturaliste italien Alpin qui, de retour d'un voyage en Égypte en 1593, faisait savoir que, là-bas, personne ne prenait un bain sans se faire masser longuement de la tête aux pieds.

Il y eut aussi Paullini qui, en 1698, conseillait aux libertins de l'époque l'usage d'une forme de massage pour le moins particulière. Précurseur distingué du Divin Marquis, Paullini préconisait une forme de massage qui combinait l'usage du fouet, de la fessée, de la rossée (une raclée, si vous préférez) de même que certaines formes brutales de percussion sur le corps. Les gens le prirent très au sérieux, mais sa méthode ne passa guère à l'histoire.

Le témoignage le plus sérieux sur la survivance du massage est probablement celui d'un médecin du nom de Sydenham, très célèbre au XVIIe siècle, qui déclarait que si quelqu'un connaissait le pouvoir du massage et s'il parvenait, par quelque moyen, à s'en assurer l'exclusivité, il ne tarderait pas alors à faire fortune.

Ce n'est qu'avec le XVIIIe siècle qu'on voit le massage refaire surface. Voltaire fut le promoteur d'un étrange appareil qu'on nommait la «trémoussoire». C'était tout simplement un fauteuil agité de tremblements... un peu comme ces fauteuils-vibrateurs bien connus de nos jours.

Mais la trémoussoire ne fit pas la fortune de Voltaire... Le célèbre Mesmer, quant à lui, sous prétexte de magnétisme et autres techniques «psychiques» et «miraculeuses», se contentait de faire à ses «patientes» quelques passes de massage érotique. Ce dont ces dames ne se plaignirent jamais puisque Mesmer réussit à s'enfuir de France (pourchassé par les maris de ces dames) avec une jolie fortune, érotiquement subtilisée aux belles qui s'adonnaient au «mesmérisme».

C'est finalement au XIXe siècle que le Suédois Peter Henrik Ling entreprit de systématiser les connaissances en matière de massage. Il réunit sous forme de traité les différentes techniques occidentales et orientales connues du massage et ce fut le début du fameux «massage suédois» dont toutes les formes de massage occidentales actuelles sont plus ou moins tirées.

Ce fut véritablement Ling qui redonna au massage ses lettres de noblesse. À partir de ce moment, le massage allait connaître un nouvel essor.

* * *

De nos jours, il existe une quantité effarante de techniques de massage. Un vrai fouillis pour quelqu'un qui ne s'y connaît pas. Dans le but de lever le voile sur le mystère qui entoure ces différentes théories, nous vous donnons ici un rapide aperçu des multiples écoles de massage connues et du but poursuivi par chacune.

Disons, en premier lieu, qu'il existe deux grandes classes de massage: les massages thérapeutiques (ce sont surtout ces techniques qui font couler le plus d'encre) et les massages d'«entretien» ou de relaxation.

Au niveau des massages thérapeutiques, parlons des massages musculaires qu'on utilise lors de contractures musculaires (le massage des sportifs entre dans cette catégorie). Le massage de pression s'utilise dans les cas de troubles circulatoires. Une autre technique de même nature est le massage du côlon de Vogler. D'autres sortes de massage, typiquement thérapeutiques, s'adressent à certaines parties du corps en particulier, comme le massage du tissu conjonctif de Mme Dicke dont les recherches ont été reprises dans les années 50 par Kohlrausch. Il y a aussi les points de Knapp et on connaît de même les dermalgies de Jaricot.

La réflexologie (ou thérapie de zone) de Ingham s'adresse uniquement aux pieds. Chaque organe ayant sa correspondance sur la plante des pieds, cette école prétend alors que le massage de la plante des pieds apporte un soulagement sensible de l'organe concerné. Il en est de même pour l'auriculothérapie où, cette fois, c'est sur l'oreille qu'on dit retrouver tous les organes du corps humain représentés par des points sensibles qu'il convient de masser pour obtenir un effet thérapeutique.

Du côté oriental, nous connaissons bien l'acupuncture. Non pas celle qui est pratiquée avec les aiguilles, mais celle qui n'utilise que les pouces ou les jointures pour exciter certains points du corps humain.

Le pendant japonais de l'acupuncture, le Shiatsu (ou Shiatzu) relève de la même école de pensée. Et celui-ci a donné naissance au Do.In, forme d'auto-massage dans lequel on agit soi-même sur les points douloureux.

Notons enfin le massage reichien qui, tout en étant thérapeutique, a surtout des visées psychothérapeutiques. De même pour le rolfing, qui a pour principe le remodelage de la personne. En dix séances, le corps tout entier est massé avec des touchers assez profonds, parfois assez violents et douloureux, dans le but de réharmoniser le corps et la personnalité.

Le massage de Proskauer se base, quant à lui, sur le cycle de la respiration. Quant à la thérapie de polarité, disons, pour la décrire, qu'elle pense comme l'acupuncture, tout en agissant comme le rolfing...

Du côté des massages de relaxation, les écoles ne manquent pas non plus dont la plus célèbre, Esalen, a donné naissance à toutes sortes de groupements qui prônent l'utilisation du massage.

Pour terminer ce rapide survol, un mot sur le massage esthétique. Celui-ci est appliqué en institut de beauté et n'a finalement qu'un but: rehausser la beauté, le teint, faire disparaître bourrelets disgracieux, etc... Dans la généalogie des massages, une seule mention pour le «p'tit dernier»: le massage du cuir chevelu tel que pratiqué par les coiffeurs en Occident!

Chapitre IV

LES PRÉLIMINAIRES

1- Préparatifs

A- Aphrodisiaques

Un massage érotique, c'est comme une oeuvre d'art, ça se prépare. Évidemment, pas question de vous lancer à fond de train dans une telle aventure si vous ne tenez pas la grande forme cette journée-là. Vous ne réussirez qu'à tout gâcher... et recueillir les commentaires acerbes de votre partenaire. De fait, un tel type de massage demande passablement d'énergie. Cette source d'énergie supplémentaire, vous pouvez la trouver de bien des façons. Il existe des breuvages stimulants sinon carrément aphrodisiaques qui sauront vous donner ce petit coup de pouce supplémentaire dont vous aurez besoin au cours de la séance de massage.

Une autre source possible d'énergie: les plantes. En effet, de temps immémoriaux, les plantes ont été reconnues pour leurs vertus curatives, aphrodisiaques, sinon maléfiques dans certains cas. Sages, yogis, sorciers, alchimistes, des temps anciens ou modernes, sans parler évidemment des naturopathes, aromathérapeutes, herboristes, etc., connaissent les pouvoirs des plantes.

La puissance de ces plantes est telle qu'il y en a de nombreuses espèces dont l'usage est strictement interdit dans nos sociétés qui se disent «permissives» et le sont si peu. Que l'on songe à la marijuana, au haschisch, à la feuille de coca, au yohimbe, au datura, au fo-ti-tieng, sans parler des plantes hallucinogènes dont les sorciers des temps antiques faisaient un grand usage. Quant à celui qu'en font nos «sorciers» modernes, ils ne le clament pas sur les toits, préférant ne pas s'attirer les conséquences que vous imaginez.

Ces plantes, de même que des plantes hallucinogènes ou leurs équivalents, comme les amanites phalloïdes, entraient plus que probablement dans la composition de cette fameuse «liqueur des dieux» que les Anciens absorbaient lors de rituels amoureux. Connu aussi sous le nom de «soma», ce breuvage aphrodisiaque dont la composition exacte nous est inconnue, saurait bien sûr vous donner toute la stimulation nécessaire pour réussir un massage érotique de grand style.

Malheureusement, étant donné les lois actuelles, il vaut mieux vous contenter de potions peut-être moins efficaces, mais qui ne risquent pas d'entraîner des conséquences pour le moins désagréables. Voici donc comment préparer un de ces breuvages stimulants connu sous le nom de «lait de dragon» et dont la recette est tirée du merveilleux livre de Mitsou Naslednikov, *Le chemin de l'extase:*

Il s'agit de préparer dans un mélangeur un verre de lait ou de jus de pomme (au choix) avec les ingrédients suivants:

1 cuillerée à soupe d'amandes pilées
1 cuillerée à soupe de levure de bière en poudre
1 cuillerée à soupe de graines de sésame
1 cuillerée à soupe de miel
1 cuillerée à soupe de germes de blé crus
1 cuillerée à café de ginseng en poudre
1 cuillerée à café d'extrait naturel de vanille.

Versez le tout dans le mélangeur, ajoutez à volonté de la cannelle et même, si le coeur vous en dit, une banane. Mélangez bien tous les ingrédients et servez.

Il existe beaucoup de recettes aphrodisiaques que vous saurez utiliser au bon moment. Cependant, permettez-nous de vous rappeler que quantité de plantes, que l'on trouve dans n'importe quel magasin naturiste, peuvent vous permettre de concocter un petit breuvage dont les effets sur votre comportement sexuel vous étonneront beaucoup.

Ainsi l'ortie qu'on laisse macérer dans un bon vin auquel on a ajouté des raisins secs donne une boisson aphrodisiaque excellente. Dans ce cas-ci, on emploie les feuilles et l'essence d'ortie.

Une plante beaucoup moins connue, le ylang-ylang, donne aussi un aphrodisiaque plus que satisfaisant. D'ailleurs les vertus de cette plante comme stimulant sexuel sont connues depuis très longtemps. Pour obtenir ce breuvage, on verse tout simplement trois ou quatre gouttes de l'essence de cette plante dans un verre d'eau tiède et on consomme sur-le-champ.

Un autre breuvage aphrodisiaque des plus simples à préparer: de la noix de kola, du céleri, du vin chaud parfumé de cannelle et de l'essence de céleri. Aussi simple que cela!

Cependant, nous vous déconseillons fortement le «spanish fly» et autres produits du genre qui risquent de vous faire plus de tort que de bien. Bien sûr, le meilleur moyen de se «mettre en forme», c'est peut-être tout simplement de prendre un verre ou deux d'une excellente bouteille de vin. L'alcool, à dose légère, constitue un euphorisant qui vous mettra, vous et votre partenaire, dans d'excellentes dispositions pour entamer cette soirée. Méfiez-vous cependant, car il arrive souvent que l'alcool, même en petites quantités, produise exactement des effets contraires à ceux qu'on recherche.

B- Bain chaud

Il existe un moyen beaucoup plus simple de se mettre tous les deux dans l'atmosphère avant d'entreprendre un massage. Cette méthode, c'est celle du bain chaud. Plongez-vous tous les deux dans la baignoire remplie d'eau chaude. Mais attention! Il ne faut surtout pas que l'eau soit trop chaude: c'est bien connu, les énergies sexuelles masculines se dispersent rapidement dans un bain trop chaud. Mêmes résultats si on s'y laisse tremper trop longtemps.

Donc, plongez-vous dans un bain d'eau chaude parfumée d'essences ou d'huiles essentielles. À ce sujet, consultez un livre sur les plantes. Vous y trouverez certainement une plante dont l'huile essentielle correspond à vos humeurs secrètes. Vous pouvez employer ainsi la camomille ou une autre plante du genre. Éteignez la lumière et ne vous éclairez qu'à la lueur de bougies. Vous pouvez même agrémenter l'atmosphère d'un peu de musique. Nous vous laissons les détails du bain, mais il est important de souligner que ce n'est pas le moment de commencer les préliminaires amoureux. Contentez-vous de relaxer, détendez-vous. C'est le pas le plus important des préparatifs au massage érotique. Puis, au sortir du bain, séchez-vous mutuellement, d'abord avec des frictions légères, ensuite de plus en plus vigoureusement, après vous être aspergés l'un l'autre d'eau froide pour vous revigorer.

Pourquoi, à ce moment-là, ne pas vous enduire mutuellement d'huile? Il existe une lotion aphrodisiaque pour le corps, qui s'appelle «Super-exciting», et qui vous mettra dans l'ambiance désirée... si vous n'y êtes pas encore!

Si vous n'êtes pas complètement détendus, appliquez-vous quelques gouttes d'essence d'aubépine sur le plexus solaire. Cette essence constitue un excellent calmant pour le système nerveux.

Ainsi régénérés, parés, huilés, détendus et souriants, préparez-vous à passer aux... actes!

2- Les huiles, poudres et essences

Pour le massage érotique, l'usage d'un lubrifiant, qu'il soit huile, poudre ou essence, est fortement conseillé, ne serait-ce que par l'impact psychologique que l'usage de ce produit suscite. En effet, dans leur étude sur les mésententes sexuelles et leurs traitements, Masters et Johnson notaient que la lotion «sert de médiateur et permet aux gens d'accomplir des gestes auparavant interdits par les influences psychosociales».

Mais, bien sûr, nous assumons que les adeptes du massage érotique ne ressentent pas d'inhibitions telles que cela les empêche d'accomplir sur leur partenaire quelque caresse que ce soit. Sinon, il vaut mieux abandonner dès cette page et chercher auparavant à vous défaire de ces contraintes.

Donc, l'emploi d'une huile, d'une poudre ou d'une essence est conseillé à cause de la grande souplesse de mouvements qu'elle permet sur le corps du partenaire. Évidemment, on peut fort bien n'employer que ses mains, sans lubrifiant. En effet, il arrive souvent qu'une personne trouve fort excitante la sensation de la friction des mains sur son corps. L'emploi d'un lubrifiant n'est donc pas une exigence *sine qua non* du massage érotique. Tout dépend des partenaires et de leurs désirs.

Cependant, si vous désirez employer un lubrifiant, voici quelques conseils utiles. Lors des massages, on peut utiliser de l'huile végétale ou minérale. Les masseurs professionnels se servent presque exclusivement d'huile minérale pour la bonne raison qu'elle est moins coûteuse. Par contre, beaucoup d'experts dans l'art du massage prétendent que la «vraie de vraie», si vous nous permettez l'expression, c'est l'huile végétale. Pourquoi? Tout simplement parce que l'huile végétale est plus facilement absorbée par le corps et fournit à la peau certaines vitamines. Contrairement à l'huile minérale qui, elle, aurait plutôt pour effet de détruire certaines vitamines nécessaires à la peau.

Donc, dans n'importe quel magasin d'aliments naturels, vous trouverez une huile végétale qui se prêtera fort bien aux besoins du massage. La plus utilisée est sans aucun doute l'huile de coco. Mais, encore une fois, il n'existe pas de règle définie. Nous vous conseillons donc d'utiliser plutôt une huile neutre, de sorte que vous puissiez y ajouter quelques gouttes d'une essence quelconque, selon vos goûts communs, de manière à rendre l'atmosphère encore plus sensuelle.

Cette addition d'essence ou d'huile essentielle peut même s'avérer nécessaire car il arrive souvent que l'huile végétale dégage une odeur qui se prête mal à l'ambiance du massage.

Ainsi, on ajoute souvent du musc à l'huile. On se sert aussi d'essence concentrée de clou de girofle, d'huile de citron ou de frangipane. Examinez attentivement la liste des huiles essentielles et vous trouverez certainement une essence qui saura flatter l'odorat et créer une ambiance encore plus propice à vos ébats.

De même, vous pouvez ajouter quelques gouttes d'huiles essentielles à votre huile de massage dans un but thérapeutique. Ainsi, si vous faites un massage avec de l'huile d'amandes à laquelle vous avez ajouté quelques gouttes d'huile de génévrier, cette lotion aidera grandement votre partenaire à soulager ses muscles endoloris, sa fatigue, même ses maux de tête. L'huile de camomille possède les mêmes vertus. L'huile de citronnelle, quant à elle, est utilisée avec les huiles de massage dans les cas de maux de dos ou de fatigue musculaire.

Peu importe, comme vous le constatez, la nature du lubrifiant que vous employez, il est essentiel que cette huile soit chaude avant d'être appliquée sur le corps de votre partenaire. Il n'y a guère de sensation plus désagréable que de sentir l'huile froide vous couler sur la peau au début d'un massage. Cela détruit toute ambiance et, loin de relaxer, votre partenaire aura plutôt tendance à se renfrogner.

Que dire de plus?

Certaines personnes n'hésitent pas à employer de l'huile pour bébé. Bien sûr, si la lubrification est assurée; cependant la peau absorbe très rapidement cette huile, de sorte que vous devrez, au cours du massage, procéder plus souvent à des applications d'huile, ce qui peut détruire le rythme de vos mouvements.

On peut employer également des poudres. Dans ce cas, n'importe quel talc fait l'affaire.

Un seul produit est totalement à déconseiller: la lotion à mains. Non seulement est-elle absorbée rapidement par la peau, mais elle ne permet pas une lubrification aussi parfaite que dans le cas des huiles.

3- Les accessoires

Quels sont les accessoires dont vous aurez à vous servir au cours du massage? D'abord, évidemment, l'huile. Il est fortement recommandé d'utiliser une bouteille avec un petit goulot. En effet, il se produit souvent qu'à cause d'un geste malencontreux on renverse la bouteille au cours du massage... Pour éviter qu'une trop grande quantité d'huile ne se répande, une bouteille à petit goulot s'avère donc la solution évidente. De plus, comme vous devrez travailler d'une extrémité à l'autre du corps de votre partenaire, il peut être fatigant de passer son temps à courir après la bouteille d'huile chaque fois que vous en avez besoin. Pour éviter une gymnastique aussi fatigante que désagréable, utilisez donc deux bouteilles d'huile: une que vous placerez à la tête de votre partenaire et l'autre à ses pieds. De cette façon, vous n'aurez plus à vous interrompre, ne serait-ce que momentanément, pour essayer d'attraper votre bouteille d'huile.

Prévoyez un chauffe-café ou une bougie de façon à conserver votre huile à la température voulue. Précaution élémentaire si vous voulez que tout se déroule sans anicroches.

Un accessoire auquel les gens ne songent pas toujours, mais qui peut rendre des services très appréciables, c'est le vibrateur. Avant de commencer le massage, une séance de vibrateur sur tout le corps de votre partenaire lui procure des sensations fort agréables. La sensation de détente, de relaxation rend la suite du massage beaucoup plus facile. Sans parler des avantages évidents s'il s'agit d'un massage érotique. Pas besoin de dépenser une fortune pour l'achat de cet instrument. Il en existe d'excellents pour quelques dizaines de dollars et vous vous rendrez compte à l'usage que c'est là un excellent investissement. Les femmes raffolent habituellement de se faire caresser avec un vibrateur avant un massage. Quant à ces messieurs, un essai les convaincra facilement que c'est un instrument qui peut ajouter beaucoup de plaisir aux séances de massage, même quand il s'agit simplement d'un massage de relaxation.

Un autre instrument qui peut s'avérer utile si monsieur est très velu, surtout sur la poitrine: une petite brosse à poils doux! Lui caresser la poitrine à «rebrousse-poil» avec cette brosse constitue un exercice fort... excitant!

Que dire de même d'un... rouleau à pâte! Non, ne riez pas! Le rouleau est aussi un instrument fort prisé lors de massage, si vous savez évidemment vous en servir de façon adéquate. Rouler les muscles du dos procure une jouissance unique! Faites-en l'essai!

Au chapitre des accessoires, la question principale qui se pose est celle-ci: doit-on pratiquer le massage par terre, sur une table ou sur un lit?

Disons tout de suite que la troisième solution est celle qu'il faut rejeter. Un lit est fait pour dormir ou pour tout ce que vous voudrez, sauf pour y faire un massage! En effet, il est important lors d'une séance de massage d'appliquer certaines pressions sur une partie ou une autre du corps. On comprend qu'un matelas n'est pas suffisamment rigide pour permettre ces pressions. On risquerait de voir le partenaire disparaître au moment le plus critique.

Alors... par terre? Pourquoi pas! Mais dans ce cas, il y a quelques notions qu'il est fort utile de connaître. D'abord, le plus important quand on fait un massage sur le plancher, c'est d'avoir une surface suffisamment douce et confortable pour s'y étendre sans désagrément. Donc, on peut employer un matelas de mousse caoutchouteuse, ou plusieurs couvertures étendues les unes sur les autres ou encore un matelas placé à même le plancher. On peut également se servir de trois ou quatre sacs de couchage ouverts et empilés les uns sur les autres. On peut aussi choisir des coussins, mais il est nécessaire que ces coussins soient suffisamment grands pour que votre partenaire puisse s'y étendre de tout son long.

L'élément principal à considérer en second lieu, quand on travaille sur le plancher, c'est la hauteur. Il est important que votre partenaire soit placé à une hauteur telle que vous n'ayez pas à travailler accroupi ou courbé, ce qui serait extrêmement désagréable.

La règle d'or quand on pratique le massage sur le plancher, c'est donc de veiller à ce que le partenaire soit confortable, peu importe ce sur quoi il s'étend. Il est vivement conseillé que la couche soit la plus mince possible.

Cependant, si vous prévoyez faire souvent des massages, il serait préférable de vous procurer une table. Pour un massage, c'est la solution idéale. On peut trouver sur le marché d'excellentes tables à massage. Habituellement faites d'aluminium, elles sont pliables et portatives. Un seul désavantage: leur prix se chiffre facilement dans la centaine de dollars.

En revanche, vous pouvez, à très peu de frais, vous fabriquer vous-même une telle table. Tout ce dont vous avez besoin, ce sont deux chevalets de bois d'environ 70 cm de hauteur et de 60 cm de largeur, sur lesquels vous placez une feuille de contre-plaqué de 60 cm x 1m8 x 2 cm. Aussi simple que cela. Si vous désirez quelque chose de plus élaboré, vous trouverez dans les ouvrages sur le massage les plans détaillés de tables plus sophistiquées.

La hauteur idéale de la table? Il suffit que vous puissiez, sans avoir à vous courber, y placer les mains à plat. Voilà!

N'oubliez pas que même sur une table, le revêtement est important. Matelas caoutchouteux, sacs de couchage, etc., il faut un revêtement assez souple pour que votre partenaire s'y sente à l'aise et assez rigide pour que les pressions que vous exercerez soient facilement ressenties.

Petit conseil de nature psychologique: si vous utilisez une table à massage, recouvrez-la donc d'une couverture de couleur. L'impression que dégage une table à massage recouverte d'un drap blanc fait tellement songer à une clinique médicale ou à un lit d'hôpital que le coup d'oeil vous donne froid dans le dos. Des couleurs chaudes, une ambiance agréable... autant de détails à soigner!

4- L'environnement

Quand on parle d'environnement, bien sûr, il est question d'atmosphère, de l'ambiance créée dans la pièce où vous allez procéder au massage. Question délicate, mais extrêmement importante, surtout dans le cas du massage érotique.

Donc, pas de lumières crues, s'il vous plaît. Il ne s'agit pas d'un examen clinique chez le médecin! Des lumières tamisées, des abat-jour aux couleurs chaudes, relaxantes, voilà qui créera dès le départ une impression d'intimité et de chaleur qui saura vous mettre tout de suite dans l'ambiance! Choisissez aussi un endroit dont le décor plaît particulièrement à votre partenaire. Un massage ne se fait pas nécessairement dans la chambre à coucher. Point n'est besoin de s'installer dans la cuisine non plus! Le décor est un élément important pour créer un état d'esprit propre au massage érotique. Des plantes vertes, une lumière chaude et diffuse... sans oublier une source de chaleur tout près!

À cet effet, pourquoi ne pas songer à des lampes à infrarouges?

N'oubliez pas que vous êtes nus, alors, autant que possible, faites bien attention que la température ambiante soit confortable. On conseille habituellement de maintenir la température un peu au-dessus de 21°C.

Évidemment, si vous disposez d'un foyer... par pitié, installez-vous tout près. Rien n'est plus agréable qu'un massage près d'un bon feu!

Quand vous choisissez l'endroit propice au massage érotique, vérifiez si vous avez assez d'espace pour évoluer. Les caresses que vous aurez à faire demandent que vous vous déplaciez tout autour du corps de votre partenaire. Et si vous êtes trop à l'étroit, cela vous rendra la tâche désagréable et risque de détruire l'harmonie recherchée.

Une autre question sur laquelle les avis sont très partagés, c'est celle de l'ambiance sonore. Certains prétendent qu'une musique douce, la musique préférée de votre partenaire, aidera grandement à obtenir l'effet désiré. D'autres affirment que la musique risque de déranger l'attention que votre partenaire et vous devez apporter aux gestes du massage. En d'autres mots, un fond sonore risque de détruire l'intimité qui s'établit entre les partenaires. C'est là matière de jugement. Mais pensez-y bien, car il est absolument primordial pendant le massage que vous ne cessiez de toucher votre partenaire. À aucun moment ne devez-vous briser le contact avec son corps. Donc, si vous songez à mettre un peu de musique pour agrémenter l'ambiance, utilisez un appareil à cassette ou un enregistreur à bobine qui durera tout le temps du massage, sinon laissez tomber.

Vos mains? Elles doivent être évidemment très propres. Vos ongles, coupés très courts pour éviter de blesser votre partenaire. Même si certaines techniques conseillent fortement de le griffer pour lui faire goûter l'expérience de sensations différentes, il est essentiel, au début du massage, d'éviter de briser l'harmonie, le calme, la quiétude dans laquelle se berce votre partenaire.

Que dire d'autre? Bien sûr, nous vous incitons à ne pas oublier de verrouiller la porte d'entrée et surtout... surtout de débrancher le téléphone!!!

Si vous avez la chance, heureux mortels que vous êtes, de pouvoir pratiquer votre massage érotique au grand air, en plein soleil, dans la nature, que vous dire de plus?

Mais si vous en êtes réduits, comme les citadins que nous sommes, à pratiquer l'art du massage à l'intérieur, alors faites pour le mieux avec ce que vous avez sous la main... Sans oublier que si votre appartement vous permet de faire un feu dans le foyer, alors... n'hésitez surtout pas!

Enlevez vêtements, bijoux, tout ce qui pourrait nuire aux mouvements, pour éliminer tout risque de blessure, sans oublier aussi les verres de contact. Oubliez horaire et rendez-vous... et laissez-vous bercer par le rythme magique...!

Une touche exotique dans cette ambiance agréable? De l'encens! Faites-en brûler. Mais assurez-vous auparavant que le parfum ne gêne en rien vos sens! Il en existe des sortes si différentes que vous n'aurez aucun mal à dénicher un parfum qui vous plaira particulièrement à tous deux!

5- Comment appliquer l'huile

Même s'il faut le répéter, nous vous rappelons qu'il ne faut jamais, sous aucun prétexte, verser l'huile directement sur le corps de votre partenaire. L'effet ainsi créé risque de détruire tout le travail préliminaire de détente et de relaxation.

Autre élément excessivement important à ne pas oublier: l'huile doit être à la température de la pièce. Le chauffe-café ou la bougie vous permettront de conserver à la température voulue toute l'huile dont vous aurez besoin pendant le massage.

Si l'huile doit être chaude pour éviter tout contact désagréable à votre partenaire, de même vos mains doivent être chaudes elles aussi. Au besoin n'hésitez pas à les réchauffer avant d'appliquer l'huile.

Vous n'avez pas à vous remplir les mains d'huile avant le massage. Vous pouvez en prendre un peu, l'appliquer, pour en reprendre ensuite et continuez l'application dans la même région. Si vous trouvez que l'huile n'est pas tout à fait à la température désirée, frottez vos mains ensemble avant de les appliquer sur votre partenaire. Puis allez-y par des mouvements larges mais précis et fermes. De cette application de l'huile dépendra l'orientation générale du massage. Il faut que vous soyez «décidé» dès le départ. Vos mouvements doivent être sûrs, amples et précis.

Commencez par appliquer l'huile sur la partie du corps que vous désirez masser en premier lieu. Il ne vous sert à rien en effet de huiler tout le corps de votre partenaire puisque, lorsque vous arriverez à une autre partie de son corps, l'huile aura été absorbée par la peau et vous devrez alors recommencer l'application.

Cependant, dans le cas d'un massage érotique, cette application d'huile peut être fort agréable pour établir un premier contact avec tout le corps de votre partenaire. Dans ce cas, utilisez les mouvements à pleine grandeur tels que décrits dans un chapitre subséquent.

Un dernier conseil: couvrez d'huile TOUT le corps de votre partenaire. Ne négligez aucun coin, si petit et insignifiant soit-il. Certaines parties nécessitent moins d'huile que d'autres, nous vous indiquerons lesquelles au fur et à mesure du déroulement du massage.

Si votre ami est très velu, appliquez plus d'huile sinon la friction créée sur les poils sera très désagréable.

Bref, n'oubliez pas la règle d'or du massage: une fois que vous avez établi le contact avec votre partenaire, il ne faut en aucun cas le briser. Si vous devez appliquer de l'huile, vous pouvez toucher votre partenaire du bras, du coude ou d'une autre partie du corps, mais il est essentiel que vous gardiez le contact.

Ces quelques indications doivent être constamment présentes à votre esprit quand vous faites un massage sinon, encore une fois, vous obtiendrez l'effet contraire de celui recherché. Il peut sembler fastidieux de s'astreindre à mémoriser ces quelques règles, finalement assez simples, mais dites-vous bien qu'elles n'existent que pour augmenter encore plus le plaisir du massage, surtout du massage érotique.

6- Bien se servir de ses mains

Il est évident que les mains sont essentielles dans le massage. Un manchot ne ferait certes pas un bon masseur. Mais même si vous avez deux mains, il n'est pas assuré que vous sachiez dès le départ comment vous en servir pour obtenir le résultat voulu.

Voici quelques notions qui sauront vous guider si vous en êtes à vos premières armes dans ce domaine.

Vous devez appliquer en tout temps une pression égale. C'est-à-dire qu'il vous faut porter une attention de chaque instant aux gestes que vous faites. Cette pression, d'ailleurs, quand elle devra être plus forte, il est indiqué de l'appliquer avec votre poids plutôt qu'avec vos muscles. Pression uniforme, donc, et surtout un rythme et une vitesse appropriés. Remarquez qu'il est souhaitable à certains moments de varier la vitesse de vos mouvements, mais, de façon générale, il est conseillé de conserver un rythme constant. Les variations de pression et de rythme ne visent que certains effets particuliers sur certaines parties du corps. Pour l'ensemble du massage, il est primordial de suivre une sorte de mouvement intérieur accordé au rythme respiratoire de votre partenaire. L'effet en sera d'autant plus agréable.

Vos mains doivent être détendues. C'est beaucoup plus difficile que vous ne l'imaginez, mais il est important que vous puissiez «sentir» de vos mains le corps de votre partenaire. Que vos mains épousent le corps de votre partenaire, découvrez les masses musculaires, les tendons, les os, les régions tendues, les points sensibles, même douloureux.

Ce sont vos mains qui font le massage, pas votre cerveau. Alors soyez à l'écoute de vos mains. Détendez-les, laissez-les partir à la découverte du corps de votre partenaire, laissez vos mains lui faire l'amour. Essayez, par exemple, de fermer les yeux pendant le massage, ou, mieux encore, essayez donc de faire le massage dans l'obscurité... et que vos mains prennent la direction des opérations.

Le rythme de votre massage doit se répandre dans tout votre corps. Laissez ce rythme s'emparer de tout votre être... «Dansez» au rythme de ce massage que vous donnez. Découvrez la structure de ce corps que vos mains caressent fermement.

Souvenez-vous que c'est une personne que vous massez, pas un assemblage de muscles et d'os ni une machine. De la délicatesse, mais en même temps de la fermeté. De la douceur, mais aussi de l'autorité dans le mouvement. Bref, n'ayez pas peur et ne vous découragez pas si vous n'acquérez pas dès le départ ce savant dosage. Vous ne réussirez à obtenir ce résultat qu'à force de patience et d'expérience. Mais dès votre premier massage, ces quelques indications vous permettront d'obtenir un résultat fort satisfaisant.

7- L'enchaînement des mouvements

Un novice qui plonge le nez dans un livre sur le massage ne peut faire autrement que de s'effarer du nombre et de la diversité des mouvements. D'autant plus qu'il existe quantité de techniques différentes de massage, donc plus de moyens d'appliquer certains mouvements. Et ceci sans aborder le sujet des auto-massages, sinon celui des massages ponctuels tels que le Shiatsu.

Donc, la première question qui vient à l'esprit, c'est celle-ci: faut-il suivre le déroulement des mouvements tels qu'ils sont décrits dans le manuel ou peut-on se permettre quelques variantes sans briser le sacro-saint rythme du massage?

En d'autres mots, y a-t-il une règle qui nous indique quelles séquences de mouvements faire en premier, en deuxième lieu et ainsi de suite?

La réponse, c'est qu'il n'existe pas de règle qui affirme que telle suite de mouvements est la meilleure ou celle qu'il faut absolument suivre pour arriver au résultat désiré.

D'ailleurs, à lire les nombreux ouvrages qui existent sur le sujet, on se rend compte tout de suite qu'on ne s'entend même pas sur l'endroit précis où commencer le massage.

Certains prétendent que c'est mieux de débuter par la tête. En effet, affirment-ils, la tête, avec les autres extrémités du corps, telles que les mains et les pieds, est la partie qui risque le moins d'affecter nos inhibitions et c'est celle dont nous nous sentons le plus dissociés. Pour eux, il faut donc commencer par la tête. D'autres préfèrent commencer par l'abdomen et la poitrine. Ainsi, dans le tantrisme, on conseille fortement, avant de commencer le massage proprement dit, de laisser ses mains reposer sur le plexus solaire de son partenaire, de façon à se mettre au même rythme, au même diapason. À mesure que l'on accorde son propre rythme à celui de son partenaire, celui-ci s'habitue à la présence «étrangère» de ces mains sur son corps. Puis, lentement, on passe à une autre partie du corps tout en laissant les mains au repos. Cette méthode permet ainsi une accoutumance graduelle au toucher.

Ce sont là deux façons de voir les choses. Il n'en reste pas moins que si, dans les manuels de massage, on donne une certaine suite aux mouvements, c'est simplement pour bien montrer qu'il faut que ceux-ci s'enchaînent de façon logique, sans interruption. Car, vous le découvrirez vous-même au fur et à mesure des massages que vous ferez, il y a un certain «flux» dans les mouvements du massage. Vous le déterminez vous-même d'une certaine façon, comme il se détermine par les mouvements que vous choisissez de faire.

Ainsi, que vous commenciez par la tête ou l'abdomen, en soi cela n'a pas tellement d'importance. L'important, c'est justement que tous ces gestes s'enchaînent logiquement, qu'il n'y ait pas de coupure trop franche entre un mouvement et le suivant.

Encore là, cette affirmation n'est certes pas vérité d'évangile puisqu'il s'en trouve pour prétendre que cette coupure dans le «flux» provoque des réactions intéressantes chez le sujet.

Autre exemple: rien ne permet d'affirmer que lorsque vous en êtes à une certaine partie du corps, disons le dos par exemple, vous devez absolument continuer la séquence de mouvements relatifs au dos. Ainsi, pourquoi ne pas effectuer un seul mouvement sur le dos pour passer aux fesses, aux cuisses, revenir au dos et ainsi de suite? Dans ce domaine, c'est l'imagination qui détient le pouvoir.

Cependant, s'il est une règle qu'il ne faut jamais oublier à défaut de règles dans l'enchaînement des mouvements, c'est qu'en aucun cas, sous aucune considération, on ne doit briser le contact avec son partenaire. C'est là la seule restriction que l'on puisse faire à ce sujet.

Quant au reste, faites comme bon vous semble. Laissez-vous guider par l'inspiration du moment et surtout, surtout, par les réactions de votre partenaire. Si cela lui fait plaisir... alors, pourquoi pas?

Vous pouvez même créer vos propres mouvements. En effet, lorsque vous aurez acquis une certaine maîtrise des mouvements de base du massage, il vous sera loisible d'improviser et de mêler différentes techniques de sorte que vous pourrez vous créer un «style» personnel.

8- Le «choc de la peau»

De dire le psychiatre Robert Laing: «L'homme moderne est désincarné.» Non seulement est-il désincarné, mais il l'est à un point tel que se faire toucher lui paraît en quelque sorte comme une incongruité. La fameuse poignée de main n'est-elle pas justement une barrière qu'on érige entre soi et les autres et non une façon d'entrer en contact comme on l'a trop souvent cru? Dans le massage, ce fameux «choc de la peau», comme l'a surnommé l'anthropologue Margaret Mead, se présente plus que souvent. Si les gens ont pris l'habitude d'identifier le toucher à une sorte d'approche sexuelle, c'est tout simplement parce qu'ils ont désappris le toucher.

Ce problème, malheureusement, est si répandu que vous ne pourrez faire autrement que de le rencontrer quand vous donnerez un massage. Même entre partenaires «consentants», entre amants, entre époux. Masters et Johnson l'ont bien compris quand, à la suite de leurs études cliniques, ils ont conclu que le toucher était une composante essentielle des réactions psychosexuelles. De plus, affirment-ils, le toucher «... peut également servir à jeter un pont sur l'abîme qui s'est ouvert entre deux personnes ayant rompu entre elles les échanges sexuels».

Quels sont donc les problèmes qui peuvent se présenter, et comment y réagir?

D'abord, la nudité. Il peut en effet se produire, même entre amants, entre époux, que se montrer nus dans une situation de massage érotique peut causer de la gêne, même de l'inconfort. Il importe donc d'employer un petit truc pour éviter cette situation... Laisser, par exemple, une serviette sur le bas-ventre du partenaire. Après un certain temps, normalement, la sensation d'inconfort va disparaître, à cause, en grande partie, du bien-être procuré par les caresses du massage, et par la suite la nudité n'importe plus. Si, cependant, cette sensation d'inconfort persistait, il est bien évident qu'il ne saurait être question de massage érotique dans ces conditions.

D'autres causes d'inconfort peuvent apparaître. Ainsi l'inconfort peut surgir du seul fait du toucher. Bien sûr, ce phénomène ne devrait pas se manifester entre amants, mais il peut arriver que certaines caresses trop «intimes» comme le massage du vagin, ou de l'anus, par exemple, provoquent une sensation de gêne. Pour éviter que ne se produise cette situation, il vaut mieux adopter la méthode préconisée par le tantrisme, c'est-à-dire se mettre à l'écoute du corps de l'autre, sans bouger, pendant un certain temps, jusqu'à ce que toute gêne disparaisse. Ou bien, on peut tout simplement cesser ce mouvement en particulier et passer à un autre mouvement moins «stressant» pour le sujet. Si la gêne devait persister quand on reprend le mouvement litigieux, alors vaut mieux l'oublier tout à fait.

Il peut aussi arriver que le partenaire se sente mal à l'aise simplement à cause de sa position. La solution radicale: le changer de position ou essayer de le placer de telle sorte qu'il soit à l'aise.

Finalement, la plaie des massages: la sensation de chatouillement. Cela se produit malheureusement très souvent. Il existe un truc radical (ou supposé tel) pour éliminer les chatouillements. Quand ils se produisent, appliquez une pression ferme sur la partie ainsi chatouillée. Cette sensation devrait disparaître sur-le-champ. Puis, on reprend le massage, mais avec un peu plus de pression. Cependant, il se produira toujours des cas où la sensation est si forte que le massage en devient désagréable. Dans ces cas-là, si cette sensation persiste même après des pressions plus prononcées, passez tout simplement à une autre partie du corps.

9- Quand faut-il éviter de faire un massage?

Il est des cas où il est déconseillé de pratiquer le massage d'une personne. Ces cas relèvent tous de causes de maladie. Évidemment, certaines circonstances sont plus graves que d'autres. Ainsi, par exemple, si une personne souffre de troubles cardiaques, à moins d'un avis favorable de son médecin il est préférable de ne pas lui donner de massage.

Il en est de même si la personne souffre de problèmes respiratoires. Dans certains cas de maladies de peau, il est aussi conseillé d'éviter de pratiquer le massage, comme lorsque le sujet a subi une fracture d'un membre ou des lésions importantes à une certaine partie du corps.

Bref, à moins que votre partenaire ne soit en bonne santé, nous ne recommandons pas le massage érotique ni le massage de détente. Par contre, si vous êtes devenu un «expert» du massage, vous pourrez passer outre à ces conseils et prodiguer quand même certains mouvements de massage. Mais si ce n'est pas le cas, abstenez-vous.

Même chose dans le cas d'une femme enceinte. Si le massage peut procurer aux femmes enceintes un bien-être certain, cependant nous déconseillons fortement aux novices de cet art de procéder aux caresses décrites dans les pages qui suivent. Un faux mouvement peut causer des problèmes graves. Si le massage d'une femme enceinte est recommandé pour soulager les sensations d'inconfort résultant de son état, ce n'est que sous les mains expertes d'un connaisseur que doit être pratiquée cette séance. En aucun cas ne vous improvisez expert du massage pour tenter de soulager votre épouse ou votre compagne. Les conséquences pourraient être désastreuses, dangereuses même. Donc, il est nettement préférable de s'abstenir... sauf, bien sûr, si vous êtes passé maître dans l'art subtil du «toucher d'amour»!

Chapitre V

L'ÉVEIL AU PLAISIR

Pour parvenir à déterminer exactement les points «chauds» de l'anatomie de votre partenaire, à situer les zones sensibles de sa carte érotique, nous vous suggérons ce petit exercice tiré du livre *Le chemin de l'extase* et qui s'appelle: l'éveil au plaisir.

Évidemment, vous n'êtes pas obligé de vous lancer à ce moment-ci dans une séance de méditation (même si c'est là la meilleure façon de commencer cet exercice). Pourtant si cette séance de méditation vous permet de dépasser votre niveau normal de sexualité et de déboucher sur une vision de l'érotisme plus ouverte et plus agréable, alors... pourquoi pas? Mais de toute façon, pour le moment, tel n'est pas notre but.

Cet exercice, il est préférable que vous le pratiquiez avant d'entreprendre le massage érotique. Plusieurs jours auparavant, car cet exercice se répète pendant plusieurs jours. De plus, si vous pratiquez cette forme de découverte de la cartographie érotique de votre partenaire avant d'entreprendre toute forme de massage érotique, cela vous évitera

par la suite des attouchements incongrus sinon douloureux qui risquent à tout le moins de briser le
rythme et l'harmonie que vous aurez mis du temps à
créer chez vous et chez votre partenaire.

Voici de quelle façon procéder pour déterminer
la géographie sexuelle de votre partenaire (et la vôtre par la même occasion).

Prenez d'abord le soin de débrancher le téléphone et de fermer les portes à clé. Bien sûr, si vous
avez des enfants, nous ne saurions assez vous
conseiller d'attendre qu'ils soient au lit pour vous livrer à cet exercice d'exploration mutuelle.

Une fois les conditions requises remplies, étendez-vous sur le lit, nus tous les deux. Si vous commencez par explorer le corps de votre compagne,
demandez-lui de s'étendre sur le dos, confortablement, et de placer un bandeau sur ses yeux de façon
qu'elle ne voie pas les attouchements que vous faites.
Il s'agit de découvrir avec son corps les réactions ob-
tenues aux différents attouchements érotiques.

C'est là, en effet, tout le principe de cette situation: forcer une personne à ressentir, à découvrir
avec ses autres sens, les caresses que vous lui faites.
Évidemment, il n'est pas besoin de lier ce bandeau
autour de sa tête, le simple fait de le placer sur ses
yeux pour empêcher la vision de vos gestes suffit
amplement au but de l'exercice.

L'élément le plus important de cette démarche,
c'est de décrire à votre partenaire ce que vous ressentez quand il procède à différents attouchements.
Il faut que votre partenaire soit très honnête, très
franc dans la description de ses réactions et surtout

qu'il ne se retienne pas dans ses commentaires. Que votre compagne emploie le langage qu'elle croit le plus adéquat pour décrire ses sensations, même si certains mots lui paraissent trop crus. S'ils décrivent bien la sensation qu'elle goûte à ce moment-là, il ne faut surtout pas qu'elle s'empêche de les utiliser, car de cette séance d'exploration mutuelle jaillira la possibilité d'ébats sexuels encore plus satisfaisants.

De plus, c'est évidemment le but ultime de cet exercice, il faut qu'elle précise ce qu'elle préfère, ce qui lui fait le plus plaisir.

Commencez donc par caresser les lèvres de votre compagne du pouce et de l'index des deux mains. Que celle-ci vous décrive ensuite ses impressions.

Léchez-lui et embrassez-lui les lèvres. Encore une fois arrêtez-vous après chacun de ces attouchements pour lui permettre de vous livrer ses commentaires.

Dans un troisième temps, vous caressez et massez chaque sein. Roulez les mamelons entre vos doigts, étirez-les, pétrissez les seins, puis léchez-les et embrassez-les. Faites une pause entre chacune de ces caresses pour écouter les impressions de votre partenaire.

Descendez maintenant à l'abdomen. Caressez-lui le ventre, jusqu'au vagin. Écartez les lèvres vaginales et caressez légèrement le clitoris. À la suite de quoi, vous faites une pause et votre compagne fait ses commentaires.

Procédez ensuite à la caresse orale de son sexe. D'abord de vos lèvres et ensuite de la langue. Il est utile de rappeler ici qu'il ne s'agit pas, à ce moment-ci, d'amener votre partenaire à l'orgasme. Au contraire, il faut l'éviter. Le point primordial de l'exercice, c'est la découverte des caresses qui augmentent le plaisir, du plus fugace au plus intense. Il est bien entendu que provoquer l'orgasme à ce moment-ci aurait pour résultat de contremander le reste de la séance.

Légèreté dans le toucher, lenteur des gestes. Vous ne devez pas non plus trop exciter votre partenaire. L'écoute du corps, voilà l'essence même de cet exercice. Si jamais l'un ou l'autre des partenaires sent monter l'orgasme ou l'acmé, lors de ces attouchements, arrêtez-vous immédiatement et laissez-vous le temps de reprendre le contrôle de vos sens. Il ne faut PAS se rendre jusqu'à la décharge de la tension sexuelle, mais contrôler celle-ci en tout temps à tout moment.

Le geste suivant consiste à caresser l'anus de votre partenaire de même que son périnée. Si vous l'ignorez, le périnée consiste en un point situé à peu près à mi-chemin entre le rectum et le sexe. C'est un endroit extrêmement sensible de la carte sexuelle.

Faites une pause plus longue après les commentaires de votre compagne et relaxez-vous tous les deux sans vous toucher, et sans parler non plus.

Puis, après quelques instants, votre partenaire, les yeux toujours couverts, entreprend de se masturber. Jusqu'au bord de l'orgasme. Quand elle sent l'orgasme approcher, elle cesse toute caresse immédiatement et elle attend de reprendre le contrôle de ses sens.

Cette caresse est évidemment conçue dans le but de vous défaire l'un face à l'autre de cette fausse pudeur, de cette timidité hypocrite qui ne saurait avoir cours entre amants. Quant au compagnon, pendant que sa partenaire se masturbe ainsi, il se doit d'observer attentivement chacun de ses mouvements de façon à pouvoir les refaire plus tard. Vous êtes à même, à cet instant, de découvrir quels sont les gestes qui provoquent chez votre compagnon la plus haute excitation. Concentrez donc votre attention sur chacune de ses caresses.

Répétons encore une fois que lorsque votre compagne approche de l'orgasme, elle doit cesser toute manipulation et essayer de manifester le plus grand contrôle de ses émotions.

Une fois cette première partie de l'exercice terminée, rendez-vous tous deux dans une autre pièce pour vous «changer les idées». Prenez un verre de vin, grignotez quelque chose, mais surtout, dans une atmosphère de franchise et d'ouverture totale, commentez les instants que vous venez de vivre ensemble. Ne cachez rien de ce que vous ressentez ou de ce que vous avez ressenti.

Attendez ainsi au moins une demi-heure avant de reprendre l'exercice. Cette fois, bien sûr, vous inversez les rôles.

On conseille vivement de pratiquer cet exercice au moins trois soirs de suite puis, le quatrième soir, ne faites plus aucun commentaire. Laissez-vous aller à l'éveil du désir et du plaisir sans dire un seul mot. Encore une fois, répétons qu'il faut éviter de faire l'amour ou de provoquer l'orgasme lors de ces séances. Cela peut paraître difficile, mais vous en retirerez tous deux une confiance accrue l'un envers l'autre si vous savez faire preuve de retenue et de patience.

Lors de cette quatrième séance toutefois, c'est le partenaire masculin qui masturbe sa compagne et inversement. Encore une fois, jusqu'au bord de l'orgasme. Vous deviendrez de cette façon très sensible aux sensations de votre partenaire et vous pourrez, par la suite, participez davantage à vos ébats amoureux par cette connaissance de vos réactions mutuelles.

Vous aurez compris à la lecture de cet exercice qu'il est préférable de s'y consacrer avant d'entreprendre toute séance de massage érotique. Lequel d'ailleurs ne peut que bénéficier grandement de cette communion érotique que vous aurez ainsi appris à développer entre vous.

Chapitre VI

LE MASSAGE COMPLET

1- Les mouvements de base

Il n'existe finalement que cinq mouvements de base dans le massage. Si vous apprenez à les connaître immédiatement, il vous sera d'autant plus facile par la suite d'inventer vous-même vos propres mouvements à partir de ces cinq types essentiels.

D'abord l'*effleurage* qui consiste en un mouvement long, mais ferme, pratiqué du plat de la main, des doigts ou encore d'un ou des deux pouces.

Dans le *pétrissage*, comme son nom l'indique, il s'agit de pétrir la chair et les muscles comme s'il s'agissait de pâte à pain. On roule et on presse doucement les chairs en les souvelant du tissu osseux.

Les *frictions* sont habituellement pratiquées par des mouvements circulaires, petits ou larges, qui demandent l'utilisation, comme pour l'effleurage, du plat des mains, des doigts ou des pouces.

Vient ensuite le *tapotement* qui comprend plusieurs variantes, toutes à tendance «percussive», si on peut dire. Ces mouvements de tapotement peuvent se pratiquer avec le bout des doigts, les jointures, les poings, les mains, et même le tranchant des mains et les coudes. Évidemment, chaque variante est plus ou moins violente.

Puis, en dernier lieu viennent les *vibrations*. Ces mouvements s'appliquent la plupart du temps du bout des doigts ou des mains.

2- Par où commencer?

Nous avons brièvement abordé cette question lorsque nous avons parlé de l'enchaînement des mouvements.

Rappelez-vous simplement qu'il n'existe pas de loi stricte quant à l'endroit où commencer un massage, même érotique. Comme le massage érotique ne consiste pas à provoquer rapidement la décharge de la tension sexuelle accumulée, il vous faut donc faire attention à ce que vos caresses ne se concentrent pas inutilement sur les zones érogènes et les parties génitales dès le départ. Ce qui, d'ailleurs, viendra à son heure.

Certains préconisent de débuter par l'abdomen. Pourquoi? Tout simplement parce que les mouvements du massage devant être symétriques, il est alors plus facile, en partant du point central du corps, de faire radier la chaleur dans tout le corps à partir de ce point central. C'est évidemment une façon de voir les choses.

D'autres, ainsi que nous l'avons expliqué précédemment, soutiennent que la tête est la partie la plus logique par où commencer un massage. Il est vrai aussi que la tête est souvent le siège de tensions accumulées. Que l'on songe simplement aux maux de tête causés par la fatigue. Dès lors, un massage de la tête permet d'engendrer un état de relaxation qui ne peut qu'être propice au massage érotique.

Cependant, comme le but principal du massage érotique est de vous permettre d'atteindre un autre palier de sexualité, une autre dimension de votre vie amoureuse, il convient, dès le départ, d'établir entre vous un climat d'«écoute» qui favorisera l'éclosion de cet état euphorique. Pour parvenir à cette fin, pour établir la communication avec votre partenaire, il nous semble que la méthode préconisée par le tantrisme s'avère la plus naturelle.

D'abord, commencez vous-même par quelques respirations profondes pour apporter plus d'oxygène à votre corps et ainsi éliminer les toxines de votre sang. Puis, étendez-vous près de votre partenaire, tête-bêche, i.e. votre tête à ses pieds, et posez votre main sur son plexus. Que votre partenaire fasse de même. Puis laissez-vous aller aussi longtemps qu'il vous plaira de le faire. Sans forcer votre concentration, soyez simplement à l'écoute de la respiration de votre partenaire. Laissez-vous bercer par ce rythme sans essayer de synchroniser vos respirations. D'ailleurs cette synchronisation viendra tout naturellement. Peu à peu, au bout de quelques minutes de détente, vos rythmes respiratoires seront au diapason, s'accorderont et alors vous pourrez commencer le massage.

Un premier mouvement qu'il convient de faire dès le départ: aider votre partenaire à se libérer la zone thoracique. En d'autres mots, il faut qu'il parvienne à faire le vide de ses poumons lors de ses expirations. Ce qui permet encore une fois d'oxygéner le corps et d'éliminer les toxines accumulées dans le sang à cause d'une respiration mal faite, incomplète, ce qui arrive malheureusement trop souvent. Donc, pour y parvenir, agenouillez-vous près de votre partenaire et appuyez vos deux mains en plein milieu de sa poitrine. Lorsqu'il expire, appuyez fermement, mais sans mettre trop de pression cependant, il ne s'agit pas d'un massage cardiaque. Lorsque votre partenaire aspire l'air dans ses poumons, relâchez votre tension et attendez, pour reprendre votre mouvement, qu'il expire à nouveau. Faites ce mouvement à quelques reprises puis mettez-vous immédiatement au travail en passant à l'application d'huile sur son corps.

Dans le massage érotique, cette partie permet d'établir immédiatement un contact chaleureux entre les partenaires puisque, contrairement aux applications d'huile dans le massage thérapeutique ou de détente, il convient de ne pas se contenter d'appliquer l'huile sur une seule partie du corps, mais de la répandre à grands gestes réguliers, symétriques et circulaires, sur tout le corps. La communication s'établit ainsi dès le départ.

Puis, une fois cette application terminée, passez à la tête. Ce qui semble ne pas avoir d'importance dans un massage de relaxation peut cependant, dans le massage érotique, constituer une excellente introduction au reste du massage. En effet, comme la tête est souvent ressentie par les gens, dans notre société, comme coupée du reste du corps, le massage de cette partie de l'anatomie permet de la relier au reste du corps et, par le fait même, de relâcher les tensions accumulées sur le front, le cuir chevelu, les yeux, les mâchoires, bref, ces crispations nerveuses, trop souvent inconscientes, qui ne cèdent pas facilement. Donc, entreprendre votre massage érotique par la tête ne peut qu'induire dans tout le corps de votre partenaire cette sensation de détente si essentielle au reste du massage.

Autre élément qui milite en faveur du début du massage érotique par la tête, c'est que les inhibitions éventuelles que votre partenaire peut ressentir seront amoindries par ce contact en quelque sorte «dépersonnalisé» avec cette partie du corps. Commencer le massage érotique par la tête peut déterminer un laisser-aller plus complet chez votre partenaire et lui faire abandonner ses défenses quand viendra le moment de passer à des attouchements plus érotiques, ce qui n'aurait pu se produire nécessairement en débutant par une autre partie du corps. Donc, il vaut mieux dès le départ «annoncer la couleur» et faire naître chez votre partenaire un climat de confiance et de détente.

Voyons maintenant de quelle façon procéder au massage de la tête.

3- La tête, le visage et le cou

Attouchement du front

Agenouillez-vous à la tête de votre partenaire.

Appuyez la paume de vos mains sur son front, les doigts sur les tempes, et laissez-les reposer ainsi pendant quelques instants, sans appliquer de pression. Il s'agit en quelque sorte de reprendre le mouvement de départ du tantrisme qui permet d'établir le contact avec votre partenaire immédiatement avant d'entreprendre le massage comme tel.

Concentrez-vous sur votre respiration. Celle-ci doit être égale, profonde et rythmée. N'oubliez jamais que du degré de relaxation du masseur dépend le bien-être du sujet. C'est le cas de le dire, tout repose entre vos mains!

Le «troisième oeil»

Vos mains ainsi placées, il vous est facile de pratiquer ce que Inkeles appelle la «cinétique du troisième oeil». Vous avez certainement entendu parler de ce fameux troisième oeil. C'est le foyer énergéti-

que de la tête, foyer doté d'une grande sensibilité.
Ramenez donc vos doigts à ce foyer naturel du
visage, situé à peu près au milieu du front au-dessus
du nez, et appuyez doucement du bout des doigts à
cet endroit. Quelques petits mouvements circu-

laires, sans trop de pression cependant, sont recommandés.

Pression du front

Placez maintenant vos pouces au centre du front, tout juste à la naissance des cheveux et, du bout des pouces, d'une pression modérée, glissez ceux-ci vers les tempes. Faites-y de petits mouvements circulaires et ramenez-les en un léger effleurement au centre du front, mais à quelques centimètres plus bas que votre point de départ et refaites le même mouvement. Quand vous avez caressé le front en entier de cette façon, terminez par un massage des tempes avec les mêmes petits mouvements circulaires.

Forte pression sur le front

Vous pouvez exercer encore une pression sur le front. Cette fois cependant, ne vous servez que de vo-

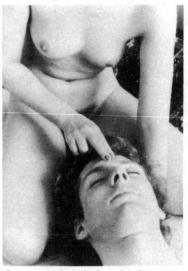

Caresse circulaire du front

tre main gauche, paume appliquée sur le troisième oeil alors que la droite appuie sur la gauche de façon à augmenter la pression. Pressez très fortement pendant une dizaine de secondes et puis relâchez tout doucement, ne laissant que la paume sur le troisième oeil.

Caresse circulaire du front

Du bout des doigts, reprenez maintenant contact avec le front, mais en vous contentant de petits mouvements circulaires sur toute sa surface. Faites ces rotations dans le sens des aiguilles d'une montre. La meilleure méthode pour bien effectuer ce mouvement, c'est de glisser la main droite sous la tête de votre partenaire et de pratiquer la caresse circulaire du bout de l'index et du majeur.

Massage des sinus

Toujours du bout des doigts, exercez une pression plus forte sur la ligne des sinus frontaux en glissant vers les tempes. Faites ce mouvement de chaque côté du front, ensuite, avec les pouces, massez de la même façon les sinus qui longent le nez.

Friction des tempes

Ramenez vos pouces lentement, en une légère caresse, vers le troisième oeil, et de là placez vos doigts sur les tempes (sans détacher vos mains du front). Puis du bout des doigts, vous effectuez la friction des tempes, soit par un mouvement de piston des tempes vers les yeux ou encore par des mouvements circulaires.

Pression des orbites oculaires

Ramenez vos doigts sur le troisième oeil, puis glissez-les délicatement à la jonction des yeux et du nez. Appliquez-y une forte pression pendant deux ou trois secondes. Relâchez la pression et glissez les majeurs sur une distance de quelques centimètres en suivant l'os supérieur de l'orbite oculaire. Encore une fois, appliquez une forte pression, relâchez à nouveau et avancez encore de la même distance. Pression, relâchement et ainsi de suite jusqu'à ce que vous soyez au point le plus éloigné du nez. Alors, glissez les majeurs jusqu'au nez à nouveau, et reprenez le même mouvement, mais cette fois sur l'os inférieur de l'orbite oculaire.

Caresse des yeux

À ce point du massage, la suite logique c'est de passer aux yeux. N'oubliez surtout pas de vous assu-

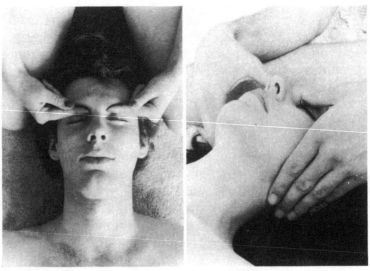

Pression des orbites oculaires   Caresse des yeux

rer que votre partenaire a bien enlevé ses verres de contact s'il en porte, sinon ce mouvement risque de le blesser sérieusement.

Cette caresse relativement simple s'applique avec les pouces, tout en usant du minimum de pression. Donc, du bout des pouces, en partant du nez, vous appliquez une très légère pression sur l'oeil et vous glissez lentement les pouces vers les tempes. Vous revenez doucement à votre point de départ et vous recommencez. La pression employée doit tout juste vous permettre de sentir les globes oculaires sous vos pouces.

Reprenez ce mouvement à quelques reprises.

Effleurage des paupières

Placez le petit doigt sur la paupière, près du nez, en touchant l'os supérieur de l'orbite oculaire. Puis, doucement, avec une très légère pression, suivez le rebord de l'os, sur la paupière, jusqu'au coin opposé de l'oeil. Revenez à votre point de départ et recommencez avec le majeur et ainsi de suite. Quand vous en êtes à l'index, faites le même mouvement, mais cette fois en suivant la courbure de l'os inférieur de l'orbite oculaire.

La pression appliquée doit tout juste suffire pour que votre partenaire voie des phosphènes, ces taches colorées provoquées par une pression sur les globes oculaires.

Pression des joues

Vous ne vous servez que du majeur et de l'index de chaque main que vous placez immédiatement sous l'oeil, près du nez. Puis, glissez le bout de ces doigts en un mouvement ferme vers les tempes, tout en suivant la courbure de l'orbite de l'oeil. Une fois aux tempes, reprenez un léger mouvement circulaire, tel qu'expliqué précédemment, puis revenez près du nez, mais plus bas cette fois-ci, et refaites le même mouvement.

Il est important, dans ce mouvement, de bien souligner la structure de l'os de la joue. Finalement, ramenez vos doigts près du nez, immédiatement sous l'os de la joue et effectuez de petits mouvements circulaires du bout de vos doigts, à ce point précis. Pressez fermement, sans précipitation. Il s'agit là d'un point focal fort important du visage où la tension s'accumule facilement. Cette pression ferme aide donc à éliminer toute nodosité, ou petit noeud formé par la tension musculaire des muscles du visage. Comme ces petites bosses de tension ne sont pas immédiatement perceptibles sous les doigts, n'hésitez pas à vous attarder à ce point, ce n'en sera que meilleur pour votre partenaire.

Rotation des muscles des joues

Pour généraliser le mouvement précédent, posez maintenant vos paumes sur les joues de votre partenaire, les doigts appuyés sur les côtés de la mâchoire et faites des mouvements circulaires. La bouche s'ouvre et se ferme, comme font les poissons dans l'eau.

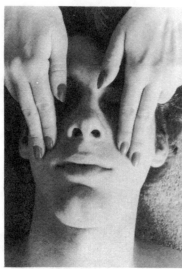 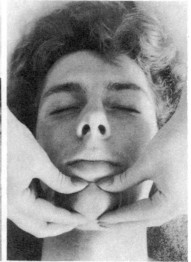

Pression des joues   *Caresse du menton et des lèvres*

Ce mouvement vous permet de constater le degré de relaxation de la tête et du cou. Quand ces parties sont détendues, la bouche s'ouvre facilement, sinon vous savez que la tension est encore présente. Vous pouvez alors revenir aux caresses du visage et recommencer ou vous passez directement aux mouvements du cou avant de revenir à ce mouvement-ci pour constater le degré de relaxation de votre partenaire.

Caresse du menton et des lèvres

Des joues, vous passez maintenant au menton et aux lèvres. Vous posez majeurs et index sous le menton de votre partenaire, les pouces appuyés sur le menton. Exercez une pression légère et, en partant du milieu du menton, glissez lentement les doigts vers l'extérieur en direction opposée. Couvrez bien le menton de cette façon jusqu'à la lèvre inférieure

que vous caressez de la même façon et passez ensuite à la lèvre supérieure.

Les gens ignorent habituellement que le point
placé immédiatement sur la lèvre supérieure à la
base du nez, chez la femme, constitue un point de stimulation sexuelle important. De même que le nez
d'ailleurs, mais nous y reviendrons plus tard.

Caresse de la mâchoire

Ramenez les pouces sur le menton puis, de vos
majeurs, vous faites de petits mouvements circulaires sous la mâchoire inférieure, en suivant l'os
jusqu'au point de rencontre des mâchoires inférieure et supérieure, tout près de l'oreille. Attardez-
vous à cette région. Comme vous vous en doutez certainement, nombre de gens passent leur vie les
mâchoires crispées. Cette forme de massage ne peut
donc que leur être bénéfique. S'il le faut, vous pouvez reprendre ce mouvement à quelques reprises,
sans jamais oublier de vous attarder plus longuement à ce fameux point de rencontre.

Enveloppement du bas du visage

Pour bien lier ces différents mouvements, vous
pouvez reprendre la position de départ pour masser
le menton, mais cette fois avec les pouces placés sur
la lèvre supérieure, immédiatement sous le nez. Appliquez une légère pression à cet endroit pendant
quelques secondes puis, du bout des pouces, refaites
le mouvement de glissement vers les côtés du visage. Comme si vous découpiez le visage en bandes
horizontales d'une largeur de 1,25 cm environ. Reprenez ce mouvement des pouces jusqu'à ce que
vous arriviez à la mâchoire inférieure. Agrippez

celle-ci entre pouces et majeurs, puis dessinez-en fermement le contour jusqu'au point de jonction avec la mâchoire supérieure. Vous vous y attardez un moment et, finalement, ramenez vos doigts sur les tempes de votre partenaire où vous terminez le mouvement enveloppant par un massage circulaire de celles-ci.

Massage des oreilles

Amenez vos doigts derrière les oreilles, sur la large bande musculaire située à la naissance de la boîte crânienne. Massez de vos doigts en employant une sorte de mouvement de piston (i.e. de haut en bas) et en appliquant une pression soutenue à cet endroit. Vous pouvez poursuivre le mouvement jusque sous la mâchoire, mais revenez à cette bande musculaire pour enchaîner facilement avec le mouvement suivant.

Commencez le massage de l'oreille elle-même en passant le bout des doigts derrière celle-ci, en partant du lobe.

Allez-y doucement, d'une pression très légère, dans un lent mouvement de va et vient. Puis, de l'index, caressez doucement le «V» entre le bord supérieur de l'oreille et la tête. Glissez le dessus de votre index à cet endroit, à plusieurs reprises, pour enchaîner avec le pincement de l'oreille.

Du pouce et de l'index, pincez d'abord le rebord supérieur de l'oreille. Puis, glissez les doigts un tout petit peu plus loin et pincez à nouveau. Poursuivez ce mouvement jusqu'au lobe que vous pincez de même et revenez à votre point de départ.

Il s'agit ensuite d'explorer du majeur les replis de l'oreille. Faites-le très doucement. Méfiez-vous des sensations de chatouillement. Explorez lentement les moindres replis.

Explorez donc délicatement chaque partie de l'oreille en partant de l'extérieur et en vous dirigeant vers le centre où vous arrêtez ce mouvement exploratoire.

En guise de finale, dites à votre partenaire d'écouter la musique dans sa tête et, des index, bouchez-lui les oreilles. Gardez cette position pendant une trentaine de secondes. Ce mouvement procure une sensation très agréable. Bien sûr, si vous vous rendez compte que votre partenaire n'apprécie pas cette forme de caresse, rien ne sert de vous y attarder. Passez donc immédiatement au mouvement suivant.

Pression de la tête

Des oreilles, vos mains glissent doucement sur le visage de votre partenaire. Paumes reposant sur son front, doigts sur le menton, couvrez-lui tout le visage et laissez vos mains reposer ainsi pendant quelques instants.

Puis, glissez les mains doucement vers le sommet de la tête et ramenez-les sous les oreilles, les paumes reposant sur la tête et les doigts posés sur la mâchoire inférieure. Dans cette position, vous serrez le crâne comme dans un étau. Exercez une forte pression en poussant vos mains l'une vers l'autre... sans exagérer cependant.

Diminuez graduellement la pression jusqu'à ce que vos mains soient complètement détendues.

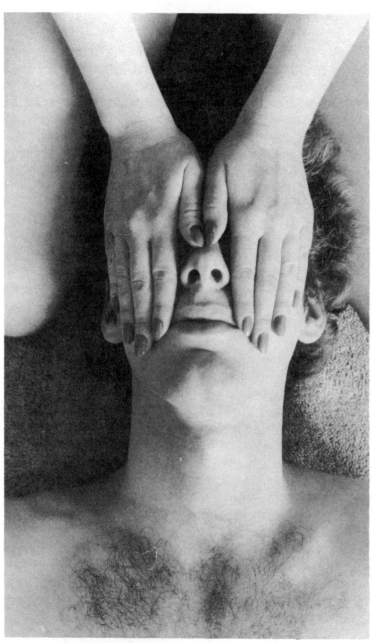

Pression de la tête

Tapotement du cou

Vous amenez maintenant vos mains sur le cou de votre partenaire. Repliez les doigts pour former comme une griffe en laissant cependant vos mains reposer sur la table (ou sur le plancher). Ainsi placé, tapotez rapidement le cou de votre partenaire et même le dos, aussi loin que vous pouvez vous rendre. Vous appliquez pour ce mouvement une pression assez forte. Essayez de rejoindre la colonne vertébrale et surtout la région voisine de celle-ci.

Rotation de la tête

Ouvrez à nouveau vos mains et glissez la gauche sous la tête de votre partenaire. Maintenez-la fermement en formant comme un berceau de votre main et tournez-lui la tête doucement pour qu'elle repose confortablement au creux de votre main.

Faites doucement tourner la paume de votre main droite sur l'épaule de votre partenaire jusqu'à ce que vous ameniez vos doigts sous celle-ci. Glissez-la ensuite doucement sous la tête pour remplacer la main gauche et effectuez le même mouvement après avoir fait doucement tourner la tête de votre partenaire sur votre droite.

Lorsque vos doigts sont sous son épaule, il y a quantité de mouvements simples que vous pouvez effectuer. Des pressions plus ou moins intenses sur les muscles près de la colonne vertébrale, et ensuite sur le cou même, jusqu'à la naissance des cheveux où alors votre mouvement devient caresse pour soutenir la tête comme vous le faites de votre main gauche.

Gardez la tête de votre partenaire ainsi tournée pour enchaîner avec les mouvements suivants.

Caresse du cou

Si votre partenaire a la tête tournée vers la gauche, bougez alors la main droite en larges cercles sur la nuque, de l'épaule à la naissance des cheveux. Appliquez une pression ferme sur ces muscles et gardez le même rythme pendant quelques instants tout en couvrant la plus grande surface possible, de l'oreille à la clavicule, toujours avec les mêmes mouvements appuyés et soutenus.

Friction du cuir chevelu

Laissez la tête de votre partenaire tournée vers la gauche et, de votre main droite refermée pour former une griffe, attaquez maintenant le cuir chevelu en faisant de petits mouvements circulaires. N'hésitez pas à appliquer une pression suffisante, car l'idée de ce mouvement c'est de faire glisser la peau sur l'os du crâne. Vous vous rendrez compte à l'expérience de la pression nécessaire pour réussir ce mouvement.

Traction du cuir chevelu

Vous pouvez également compléter le mouvement de friction du cuir chevelu par un mouvement de traction des cheveux.

Ce mouvement est simple. Vous reposez la tête de votre partenaire sur la table et doucement, de vos deux mains, vous exercez de légères tractions sur des mèches de cheveux retenues de vos poings fermés. Couvrez bien toute la surface du cuir chevelu de cette façon. Ces mouvements ont un effet magique de détente tout en favorisant grandement la circulation du cuir chevelu.

Caresse de la tête

Reprenez la tête de votre partenaire au creux de votre main gauche, et de la droite trouvez la naissance de la boîte crânienne située un peu plus haut que la nuque. Lorsque vous avez déterminé cet endroit (votre partenaire peut vous donner des indications précieuses à ce sujet) caressez la région immédiate sous cette boîte crânienne du bout de vos doigts avec de petits mouvements circulaires. Suivez l'os crânien sur toute sa longueur, en changeant de main lorsqu'il le faut.

Vibration du cou et du dos

Reposez doucement la tête de votre partenaire sur la table et glissez vos deux mains (bien huilées cette fois) sous ses épaules. Allez le plus loin que vous le pouvez et, si possible, jusqu'à une distance de 15 cm du cou. Puis repliez les doigts pour former la griffe, pressez-les fermement sur les muscles de chaque côté de la colonne vertébrale et remontez lentement en n'ayant pas peur de soulever le corps de votre partenaire.

Vous pouvez également faire vibrer vos doigts en effectuant ce mouvement. Répétez plusieurs fois en vous arrêtant à la hauteur du cou et en descendant sous le corps de votre partenaire.

Soulèvement de la tête

À la suite du dernier mouvement, glissez vos mains sous sa tête jusqu'à les amener au sommet. Soulevez-lui la tête et poussez-la vers la poitrine jusqu'au point de résistance. N'hésitez pas à utiliser vos deux mains. Un élément important qu'il ne faut pas oublier dans ce mouvement, comme dans tous les mouvements similaires, c'est de l'effectuer avec une extrême lenteur. Plus le mouvement est lent, plus il est agréable.

Rotation du cerveau

Reposez la tête de votre partenaire et glissez à nouveau vos mains sous sa nuque. Il s'agit cette fois d'effectuer la rotation du cerveau. À la naissance de la boîte crânienne, sur la nuque, placez le majeur et l'index d'une main et, avec une pression modérée, effectuez de petits mouvements circulaires, dans le sens des aiguilles d'une montre. Montez et descendez de cette façon sur la nuque, et finalement pressez le point situé exactement au milieu de la nuque juste sous la boîte crânienne. Ce mouvement produit des effets incroyablement bénéfiques pour contrer la tension du corps et la fatigue générale.

N'exagérez surtout pas la pression car vous pourriez endommager le tissu cérébral de votre partenaire. Une pression soutenue de moins d'une minute suffit à faire sensiblement baisser la tension dans son corps.

Pression du cou

Glissez maintenant les mains sous sa nuque. Vous les pointez l'une vers l'autre et vous appliquez une forte pression sur celle-ci. De cette façon, vous la soulevez. Vous pouvez en même temps y appliquer de légères rotations des doigts et la pétrir.

Ensuite, tout en continuant d'exercer suffisamment de pression, faites glisser la nuque de votre partenaire d'une main à l'autre en un rythme rapide et soutenu.

Caresse du cou et des épaules

Encore une fois, reposez la tête de votre partenaire au creux de votre main. Glissez votre main libre sur le côté de la tête qui vous est accessible et descendez jusqu'à l'épaule. Ce geste débute avec une légère pression qui va s'accentuant jusqu'à ce que la pression sur l'épaule soit très forte. Puis ramenez doucement votre main sur sa tête et reprenez le même mouvement à plusieurs reprises de chaque côté.

Caresse des nerfs faciaux

Placez à nouveau vos pouces sur son menton. Puis reprenez le mouvement de massage du bas du visage, les pouces partant du milieu du menton, et glissez-les vers les côtés du visage, mais poursuivez le mouvement des doigts jusqu'aux tempes. Revenez à votre point de départ, les pouces placés un peu plus haut et reprenez la même séquence de mouvements jusque sous les yeux.

Vous pouvez facilement enchaîner avec une suite de mouvements semblables sur le front, revenant ainsi au mouvement initial du massage de la tête.

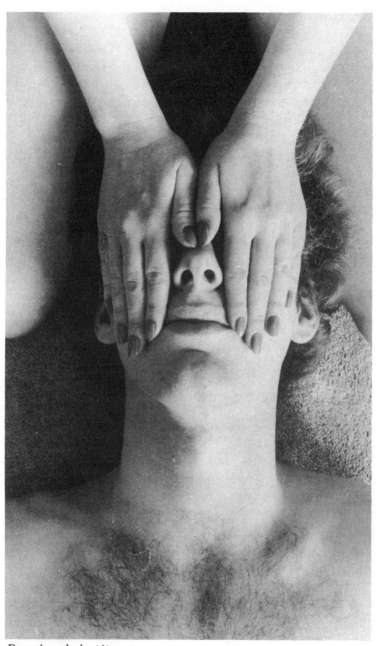

Pression de la tête

Pression finale de la tête

Pour terminer en beauté cette suite de caresses, remettez vos mains sur le front du partenaire et laissez-les reposer ainsi pendant quelques instants. Concentrez-vous, relaxez-vous, mettez-vous en harmonie avec lui.

4- La poitrine et l'abdomen

Pour cette séquence, appliquez l'huile sur la poitrine, sur l'abdomen et sur les côtés de la taille et du torse. Ne perdez pas contact avec votre partenaire et essayez de ne pas briser le rythme que vous avez adopté jusqu'à maintenant.

Caresse principale

Vous êtes toujours placé à la tête de votre partenaire. Vos mains sont posées sur sa poitrine, entre ses seins, les paumes directement sous les clavicules. Vous les glissez ensuite jusqu'au pubis. Vous devez appliquer une pression assez soutenue sur la poitrine, mais plus légère sur l'estomac.

Une fois au pubis, écartez les mains (qui jusque-là étaient placées côte à côte) et glissez-les sur les hanches de votre partenaire, jusqu'à ce qu'elles touchent la table (ou le plancher).

Pour revenir à votre point de départ, vous avez le choix de plusieurs mouvements. Des hanches, vos mains glissent sur les côtés de votre partenaire en exerçant une pression assez forte, comme si vous vouliez tirer votre partenaire vers vous. Aux aisselles, revenez à votre point de départ et reprenez le même mouvement..

Caresse principale

Une variante de ce mouvement: plutôt que de revenir immédiatement à la poitrine à partir des aisselles, continuez votre mouvement de glissement sur les épaules et, de là, passez vos mains sous celles-ci en un lent *glissando* pour finalement revenir à votre point de départ.

Soyez ferme pour ce mouvement. N'hésitez pas à appliquer la pression quand elle s'avère nécessaire.

La nage

C'est ainsi que Inkeles surnomme ce mouvement qui plaît beaucoup aux femmes.

Le principe en est simple: vous posez vos mains à plat sur le ventre de votre partenaire, l'une à côté de l'autre. Puis, en appuyant légèrement, vous les écartez vers les côtés. Faites le mouvement plusieurs fois au même endroit avant de monter de quelques centimètres et de recommencer la même séquence.

Pression des clavicules

Revenez à la position initiale et pincez légèrement, entre pouces et index, les clavicules. Glissez doucement les mains sur celles-ci en les éloignant l'une de l'autre. Répétez ce mouvement à plusieurs reprises.

Friction du haut de la poitrine

Encore une fois, vos mains sont revenues en position initiale. Vous soulevez doucement les paumes en laissant le bout de vos doigts sur la poitrine. Appliquez une pression modérée et bougez les doigts en petits cercles sur toute la poitrine. Si votre partenaire est de sexe féminin, nous vous déconseillons de

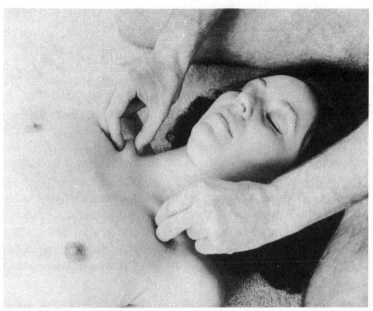

Pression des clavicules

masser les seins de cette façon. Mais n'omettez aucune autre partie du haut de la poitrine.

Friction des côtes

À nouveau, vous revenez à votre position de départ. Pour le mouvement suivant, imaginez simplement une ligne qui serait parallèle aux côtes.

Donc, parallèlement à cette ligne, vous partez du centre du corps de votre partenaire et, du bout des doigts, avec une pression ferme, vous glissez les doigts jusque sur les côtés.

Revenez au point de départ par une simple caresse, un effleurement de son corps, avant de reprendre votre position initiale un peu plus bas et de refaire le même mouvement. Essayez de masser doucement entre chaque côte, mais sans appuyer, car ces parties sont fort sensibles.

Mouvements circulaires sur la poitrine

Il s'agit tout simplement de larges mouvements circulaires faits sur la poitrine à mains ouvertes.

Il est préférable que vous soyez à la tête de votre partenaire pour effectuer ce mouvement.

La première fois, n'hésitez pas à appliquer une forte pression (sauf sur les seins si votre partenaire est une femme) et que vos gestes soient symétriques. Vous descendez lentement jusqu'au bas de la cage thoracique et vous ramenez vos mains en les glissant sur les côtés. Reprenez le même mouvement plusieurs fois de suite.

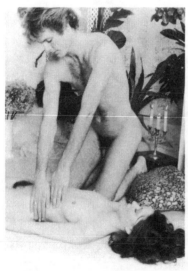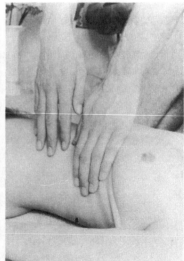

Stimulation de la cage thoracique

Stimulation de la cage thoracique

Placez-vous à côté de votre partenaire. Il s'agit de faire ce mouvement comme si vous vouliez tourner votre partenaire sur le côté. Vous placez donc vos mains sur le côté de la cage thoracique, l'une près de l'autre et vous les glissez en un mouvement ascendant l'une après l'autre.

Caresse du pectoral

Le masseur revient se placer à la tête de son partenaire, les mains posées à plat sur sa poitrine. Puis, il le masse en glissant, à la fin, les mains sur les côtés du partenaire. Il les remonte le long du corps en une longue glissade qu'il termine en ouvrant ses mains en éventail sur les pectoraux de son partenaire. Il les compresse fermement pendant un instant avant de reprendre le même mouvement et ce, à quelques reprises.

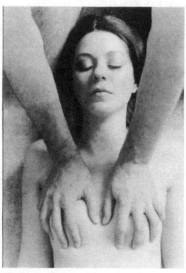

Rotation des seins

Rotation des seins

Vous saisissez à pleines mains les seins, si la partenaire est de sexe féminin, et, sans les comprimer toutefois, vous les faites tourner lentement, dans un sens et puis dans l'autre. Faites ce mouvement lentement, en évitant de tirer sur les seins.

Une fois ce mouvement de rotation terminé, ramenez vos mains à la hauteur des clavicules et placez-les, les doigts pointés les uns vers les autres, de façon à les glisser doucement sur toute la surface de la poitrine, y compris les seins, jusqu'au pubis. Refaites le mouvement à plusieurs reprises.

Massage du pectoral

Les pectoraux sont souvent le siège de tensions, aussi convient-il de leur accorder une attention plus soutenue.

Donc, pour les stimuler davantage et surtout en éliminer les nodosités qui pourraient s'y trouver à la suite de tensions, vous pouvez vous servir ou du bout des doigts, ou des pouces ou d'un seul pouce. Le principe du mouvement est simple: vous comprimez assez fortement chaque pectoral sur toute sa surface.

Faites attention cependant si votre partenaire est de sexe féminin, car à mesure que vous approchez de la masse du sein, le muscle devient de plus en plus sensible. Vous devrez donc appliquer la pression en conséquence.

Glissement des jointures

Une autre méthode de stimulation efficace de la poitrine consiste à fermer les poings et à glisser les jointures sur la poitrine de votre partenaire en commençant juste sous les clavicules et en descendant jusqu'à l'extrémité de la cage thoracique.

Vous pressez légèrement en un mouvement régulier qui vous fait écarter les mains l'une de l'autre jusqu'à ce qu'elles touchent les côtés. Vous revenez ensuite au centre de la poitrine et vous reprenez le même mouvement, mais un peu plus bas cette fois-ci.

Encore une fois, ce mouvement ne doit pas être fait sur les seins de votre partenaire. À ce moment-là, contentez-vous de glisser les jointures sur une distance d'environ cinq centimètres de chaque côté du sternum. Puis, une fois sous les seins, reprenez le mouvement sur toute la largeur de la cage thoracique.

Essayez de passer une jointure entre chaque côte, c'est une caresse fort stimulante, mais rappelez-vous que la pression à appliquer dans cette région n'est pas la même que lorsque vous passez les jointures sur les côtes.

Stimulation de la taille

Une fois cette stimulation de la cage thoracique terminée, revenez vous placer à côté de votre partenaire et refaites encore une fois le mouvement de stimulation de la cage thoracique, mais cette fois à la taille de votre partenaire. Commencez à la hauteur de la hanche et, en conservant toujours le même rythme, montez jusqu'à l'aisselle et descendez en suivant la même cadence. Faites ce mouvement sur les deux côtés de votre partenaire.

Pétrissage de la taille

Comme son nom l'indique, il s'agit de saisir entre vos doigts la peau de la taille et de la poitrine de votre partenaire et de la pétrir. Dans cette séquence, les mains doivent décrire de tout petits cercles pour ne pas tirer la peau. Couvrez bien toute la surface de la poitrine et de l'abdomen de cette façon avant de passer au mouvement suivant.

Pétrissage des côtés

Même mouvement de pétrissage, même technique, mais cette fois sur les côtés du partenaire, de la hanche jusqu'aux aisselles. Faites attention encore une fois de ne pas pincer la peau. Il s'agit de pétrir; donc, de la douceur dans le geste.

Ce mouvement peut être répété un certain nombre de fois avant de passer à un autre mouvement.

Caresse de l'abdomen

Vous demeurez placé à côté du partenaire pour masser maintenant l'abdomen. Comme cette partie du corps est fort sensible, il vaut mieux ne pas mettre trop de pression lorsque vous effectuez les mouvements de massage.

Avant de commencer toute caresse de cette partie, pliez les jambes du partenaire. Ainsi, les muscles de l'estomac seront relâchés et vous pourrez travailler plus facilement à la stimulation des organes internes.

Ce premier mouvement est relativement simple. Si vous êtes placé du côté droit, placez votre main gauche à plat au centre de l'estomac.

Puis, lentement, avec une lègère pression, vous caressez d'un geste circulaire. N'oubliez jamais de faire ce mouvement dans le sens des aiguilles d'une montre puisque le côlon que vous stimulez ainsi est enroulé dans ce sens. Tout mouvement en sens contraire, croit-on, risquerait de créer un effet néfaste sur le mouvement péristaltique de cet intestin.

Commencez votre caresse au milieu de l'estomac et vous déplacez lentement votre main, dans le sens des aiguilles d'une montre, en décrivant constamment de petits mouvements circulaires de votre main gauche partout sur la surface de l'estomac.

Lorsque vous êtes rendu au côté droit, immédiatement sous la cage thoracique, faites entrer votre main droite en action. Commençant à la hanche droite, celle-ci décrit le même petit mouvement circulaire en direction de la hanche gauche sur la partie inférieure de l'estomac.

Essayez d'harmoniser vos deux mains pour que la rotation se fasse au même rythme.

Quand votre main droite arrive à la hanche opposée, ramenez-la en position initiale jusqu'à ce que votre main gauche ait terminé une première rotation complète de toute la surface de l'abdomen.

Vous pouvez ainsi répéter ce mouvement plusieurs fois.

Rotation d'une seule main

Placez le dos de votre main directement au centre de l'estomac de votre partenaire. Le poignet doit former un angle de quatre-vingt-dix degrés avec votre main. Il s'agit d'effectuer une rotation de votre main, toujours sur la même région centrale de l'abdomen, de sorte que vous créez une sensation de caresse circulaire continue.

En fait, ce mouvement est beaucoup plus simple qu'il n'y paraît. Le mouvement débute dans la position décrite ci-haut, puis, à mesure que vous tournez la main, c'est la paume qui vient en contact avec l'estomac, puis la rotation continue et vous renversez à nouveau la main de sorte que lorsqu'elle est de retour à la position initiale, c'est le revers de votre main qui reprend le contact.

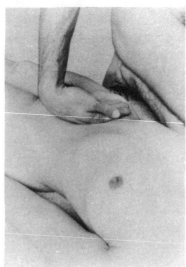 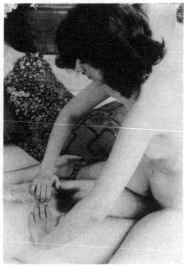

Rotation d'une seule main   *Massage pour activer la circulation*

Ne vous laissez pas rebuter par cette description technique. Essayez et vous constaterez combien ce mouvement est simple. Il est cependant essentiel de toujours conserver la même vitesse d'exécution. Ce mouvement doit être effectué à de nombreuses reprises pour être efficace.

Massage pour activer la circulation

Placez-vous aux pieds de votre partenaire. Vos mains à plat sur son bas-ventre, pointées l'une vers l'autre, vous accomplissez un lent mouvement ascendant en appliquant une pression modérée sur l'abdomen, puis plus forte sur la poitrine, sauf sur les seins, bien entendu.

Arrêtez votre mouvement aux épaules avant de revenir en une lente glissade des deux mains sur la poitrine et l'estomac.

Une variante du mouvement de retour consiste en ce que, fois rendu aux clavicules, vous caressez les épaules avant de revenir à votre position de départ en une lente caresse des flancs.

Caresse de la poitrine féminine

Du plat des doigts des deux mains, vous pétrissez doucement les flancs de votre partenaire jusqu'à la hauteur des seins, puis les pectoraux, entre les seins et au-dessous, en une lente rotation des mains qui active la circulation. Évitez les seins, ou alors faites ces caresses avec beaucoup de douceur. Procédez pour ce mouvement exactement comme une femme procède elle-même pour un auto-examen des seins.

Massage de la poitrine

Revenez vous placer à la tête de votre partenaire. Il s'agit de pétrir tous les muscles de la poitrine et surtout la crête de ceux-ci, sur les côtés, où ils s'attachent aux côtes.

Placez vos mains ouvertes sur la poitrine, les doigts pointant vers l'extérieur, touchant les côtes. Vous pétrissez doucement du bout des doigts tout en exerçant une certaine pression de vos paumes. (Attention aux seins encore une fois!) Puis, quand vous quittez la cage thoracique, vous relâchez la pression de vos paumes, mais vous continuez le mouvement jusqu'à peu près au centre de l'abdomen.

Vous revenez à votre position initiale par une lente caresse de la poitrine, du plat des mains en prenant soin de bien modeler de vos mains toutes les masses que vous touchez.

Soulèvement de la poitrine

Pour terminer ces quelques mouvements, en voici un que votre partenaire appréciera beaucoup. Assurez-vous d'abord que son corps soit bien huilé. Placez vos mains sur ses épaules, les doigts dans le dos, et exercez de légères rotations directement sur l'omoplate. Ce mouvement n'a pour but que de huiler cette région et vous allez voir pourquoi.

Placez vos mains à plat sur la poitrine de votre partenaire, doigts pointés les uns vers les autres et glissez vos deux mains en un lent mouvement vers le pubis, tout en exerçant une légère pression.

Une fois au pubis, ramenez vos mains vers l'extérieur, glissez-les sous la taille et soulevez la poitrine en suivant le mouvement de retour, i.e. jusqu'aux épaules, pour reprendre finalement la
position de départ.

Répétez à quelques reprises avant de passer à la
grande finale de cette séquence.

Soulèvement de la taille

Une fois le mouvement de soulèvement de la
poitrine terminé, reprenez votre position à la hauteur de la taille de votre partenaire. Notez que tous
ces déplacements semblent ralentir le rythme du
massage, mais, en fait, il n'en est rien puisqu'à la
pratique vous vous rendrez compte qu'ils peuvent
s'enchaîner avec aisance en une sorte de «danse» autour du corps du partenaire.

Donc, placez-vous à la hauteur de sa taille. Glissez vos mains sous celle-ci et lorsque vos doigts se
trouvent près de la colonne vertébrale, repliez-les
pour qu'ils forment la griffe. De vos doigts ainsi placés, soulevez son corps tout en laissant vos doigts
glisser vers ses côtés.

Notez que ce mouvement se réalise beaucoup
plus facilement lorsque vous travaillez par terre.
En effet, vous n'avez qu'à placer les pieds de part et
d'autre de votre partenaire et de le soulever à quelques centimètres du sol.

Le glissement de vos doigts sur son dos et sa
taille lui procurera une sensation d'intense légèreté.
Puis, finalement, ramenez les mains en une lente ca-

Soulèvement de la taille

resse sur l'estomac où vous les laissez au repos pendant quelques instants.

5- Les bras et les mains

Une bonne manière, recommande-t-on, de commencer la partie du massage sur les bras et les mains, c'est de tenir entre vos mains celle de votre partenaire. Ou encore prenez-lui la main et placez votre main libre sur son avant-bras. À conseiller aux amants, placez votre «troisième oeil» sur les veines de la face intérieure de son coude.

Il est également important de savoir que toutes les frictions conçues pour activer la circulation doivent se faire en direction du coeur. Cette remarque est valable pour toutes les frictions sur n'importe quelle partie du corps.

Mouvement de circulation

Le premier mouvement de cette séquence est conçu pour activer la circulation dans les bras.

Prenez le bras de votre partenaire entre vos mains et frictionnez en partant du poignet jusqu'à l'aisselle. Une fois à l'épaule, refermez vos mains sur le bras, et revenez par un glissement des mains jusqu'au poignet, où vous reprenez le même scénario. À faire une dizaine de fois sur chaque bras.

Voici une autre méthode pour activer la circulation. Vous placez vos mains l'une à côté de l'autre, mais inversées l'une par rapport à l'autre, paumes appuyées sur le bras de votre partenaire et doigts refermés de sorte que vous enserrez son bras de vos mains. Vous glissez ensuite les mains, en exerçant

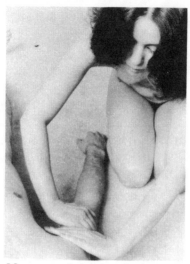

Mouvement de circulation

une pression modérée, vers l'épaule où vous les séparez de sorte qu'une main se trouve sur l'extérieur du
bras, posée à plat, doigts pointant vers l'épaule, et
l'autre se trouve à l'opposé, les doigts pointés vers
l'aisselle. Vous les ramenez ainsi jusqu'à l'extrémité
des doigts avant de reprendre le même mouvement.

Pétrissage du bras

La description de ce mouvement semble com-
pliquée à souhait, mais il est en fait facile à réaliser.

Il s'agit de coincer la main de votre partenaire
sous votre aisselle. De cette façon, le bras est soulevé. Vous saisissez le dessus du bras de vos doigts et
vos pouces se trouvent alors posés sur le dessus de façon que vous puissiez les bouger pour de petites frictions circulaires. Vous pratiquez ce mouvement sur
tout le bras. Pour le coude, contentez-vous d'y pratiquer quelques frictions circulaires à l'aide de vos
doigts, puis reposez le bras.

Vous continuez le même mode de pétrissage sur l'avant-bras jusqu'au poignet et vous refaites le même exercice, mais en sens inverse cette fois.

Drainage du bras

Appuyez fermement avec les pouces en tenant le bras de vos mains et drainez en partant du poignet jusqu'au coude. Selon la musculature de votre partenaire, la pression à exercer sera plus ou moins forte. Quand vous arrivez au coude, relâchez la pression et, les mains à plat de chaque côté du bras, revenez en une lente friction jusqu'au poignet où vous recommencez le même mouvement.

Une autre façon de réussir le drainage de l'avant-bras, c'est de le lever à angle droit avec la table, le coude reposant sur celle-ci, et d'enserrer le poignet de sorte que vos pouces se trouvent placés sur la face intérieure du poignet. Puis, en appliquant la pression, vous glissez vos mains jusqu'au vous relâchez la pression.

Muscles de l'avant-bras

Gardez la même position, c'est-à-dire le bras soulevé à angle droit reposant sur le coude, et cette fois, toujours à l'aide de vos pouces et en partant du poignet jusqu'au coude, pratiquez un pétrissage des muscles de l'avant-bras. Vous servant alternativement d'un pouce et de l'autre, vous partez du milieu de la face interne de l'avant-bras et vous glissez les pouces vers les côtés du bras, l'un après l'autre. Massez ainsi tous les muscles de l'avant-bras.

Drainage du bras

Massage du coude

L'avant-bras de votre partenaire toujours soulevé, massez l'intérieur du coude de votre poing,
mais de façon lâche. Faites de petits mouvements
circulaires, puis, soulevez le coude et, du pouce et du
majeur, vous pétrissez les os du coude à l'aide de
petites frictions circulaires.

Le rouleau

Repliez l'avant-bras de votre partenaire sur sa
gorge. Placez vos mains de chaque côté du bras à la
hauteur de l'épaule et serrez fermement. Le principe de ce mouvement consiste à actionner les
paumes sur la surface du bras en sens inverse, à la
manière d'un piston, tout en conservant un mouvement ascendant.

Exercez une pression assez forte. Ainsi, quand
vous arriverez au coude, le bras se redressera de lui-

Le rouleau

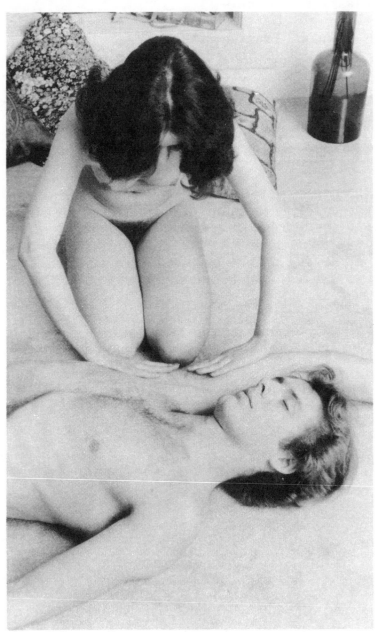

Étirement du bras

même pour vous permettre de poursuivre votre mouvement jusqu'au poignet. Revenez ensuite en une lente glissade au poignet et recommencez le mouvement.

Traction et rotation

Le bras de votre partenaire dressé bien droit au-dessus de sa tête, vous lui faites décrire un arc de cercle dans chaque sens par trois fois. Pour assouplir la jointure de l'épaule, exercez une bonne traction sur le bras et répétez encore l'arc de cercle dans chaque direction.

Étirement du bras

Voici une façon très agréable de terminer le massage du bras. Étendez le bras de votre partenaire au-dessus de sa tête. Vos mains sont à plat sur le bras et le flanc, le bout des doigts se touchant à la hauteur de l'aisselle. Puis, lentement, glissez vos mains en les tournant de quarante-cinq degrés vers le haut; d'un côté refermez-en une sur le bras alors que l'autre continue dans la direction opposée sur le flanc du partenaire. Rendez-vous jusqu'au poignet d'un côté, et de l'autre jusqu'à la hanche, tout en continuant à appliquer une pression soutenue. Une fois au poignet et à la hanche, exercez une traction comme si vous cherchiez à étirer le bras, puis relâchez la pression, ramenez vos deux mains sur le bras de votre partenaire et replacez-le près de son corps.

Rotation de la main

Une bonne méthode pour détendre la main de votre partenaire avant d'entreprendre tout autre mouvement, c'est de lui faire faire quelques rotations (à la main, pas au partenaire...!). Vous prenez d'abord sa main à la naissance des doigts pendant que, de votre main libre, vous lui maintenez l'avant-bras. Faites-lui faire quelques rotations en décrivant un cercle aussi large que possible.

Malaxage du revers de la main

Prenez ensuite la main de votre partenaire de sorte que vos doigts se posent sur sa paume. De vos pouces, vous malaxez toute la surface du dos de la main avec de petits mouvements circulaires. Appliquez assez de pression pour sentir les os bouger sous votre pouce. Ce n'est que de cette manière que vous obtiendrez l'effet désiré. Attardez-vous aux petits os du poignet, sans cependant exercer de pression trop forte à cet endroit.

Malaxage de la paume

Mouvement inverse du malaxage du revers de la main. Cette fois, vous tenez la main de sorte que vos pouces soient posés directement sur la paume de votre partenaire. N'ayez pas peur d'appliquer une pression assez forte. Bougez les pouces en petites frictions circulaires et allez jusqu'au poignet que vous pourrez masser ainsi avant de revenir à la paume comme telle. Vous pouvez faire durer ce mouvement un certain temps car les muscles de la main sont souvent très tendus.

Flexion de la main

Autre mouvement destiné à faire retrouver à vos mains une souplesse qu'elles ont probablement perdue depuis belle lurette.

Pour réussir la flexion arrière, rien de plus simple. Vous placez vos doigts sur le dessus du poignet et vos pouces sur la paume et vous poussez la main par en arrière jusqu'à ce que vous sentiez une vive résistance.

Pour la flexion avant, placez vos mains sur le poignet. Vous pliez le bras de votre partenaire jusqu'à ce que son coude repose sur la table, l'avant-bras formant un angle de quatre-vingt-dix degrés avec le bras; en lui tenant le poignet, vous pressez doucement la main vers l'avant de vos pouces jusqu'à ce que la résistance arrête votre mouvement.

Pression et traction des doigts

Prenez le petit doigt entre le pouce et l'index et, tout en pressant, frictionnez-le de bas en haut et de haut en bas à quelques reprises. Une fois ce mouvement terminé, vous exercez une traction ferme sur le doigt.

Répétez le même mouvement pour tous les doigts.

Finale

Une bonne façon de terminer cette partie du massage, c'est de faire un effleurement de la main jusqu'à l'aisselle; prenez ensuite la main de votre partenaire entre les vôtres et détendez-vous en gardant cette pose pendant quelques instants. Concentrez-vous sur votre respiration, comme si vous vouliez faire passer votre énergie dans son corps par l'intermédiaire de vos mains.

Finale

120

Vous n'avez guère besoin de vous concentrer qu'une trentaine de secondes et vous vous sentirez comme «rafraîchi» alors que votre partenaire n'en sera que plus détendu.

6- Le devant des jambes et des pieds

Effleurage de l'avant-jambe

D'abord établir un doux contact avant de passer aux mouvements plus vigoureux du massage de la jambe et de la cuisse. L'effleurage se prête bien à cette prise de contact en douceur. N'oubliez pas de bien huiler les jambes (tout en vous souvenant que si votre partenaire a les jambes très velues, vous devrez appliquer beaucoup plus d'huile).

L'effleurage consiste tout simplement en une longue et lente caresse du bout des doigts sur toute la surface des jambes. Partez de la cheville et rendez-vous jusqu'au-dessus du genou et même sur la cuisse. Puis, même geste au retour et, encore une fois, reprenez le mouvement. Faites-le aussi longtemps qu'il vous plaira, tout en observant les réactions de votre partenaire au cas où des sensations de chatouillement viendraient déranger sa concentration.

Friction pour activer la circulation

Il s'agit essentiellement du même mouvement de friction que dans le cas des bras. Vous placez vos mains sur les côtés de la jambe, à la hauteur de la cheville, les pouces sur le dessus de la jambe et, en appliquant une pression ferme, vous montez jusqu'au haut de la cuisse en un long mouvement continu.

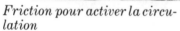

Friction pour activer la circu- *Compression de la jambe et de*
lation *la cuisse*

Le mouvement de retour se fait en appliquant une légère pression sur les côtés de la jambe. Vous pouvez de même revenir à la position initiale en massant du bout des doigts les côtés de la jambe.

Compression de la jambe et de la cuisse

Si vous travaillez sur une table à massage, il est important pour le mouvement suivant que vous soyez bien en équilibre à peu près à la hauteur des genoux de votre partenaire.

Vous placez vos mains au-dessus de la cheville de la façon suivante: une main à plat sur la jambe de façon que vos doigts soient placés dans votre direction. L'autre main se place au-dessus de la première, de la même façon, enserrant la jambe, mais les doigts pointant en direction opposée.

122

Appliquez une pression assez forte et montez en un mouvement continu jusqu'à la jonction de la cuisse et du bas-ventre.

Ici, le mouvement devient plus délicat: votre main gauche (il s'agit de la description du mouvement lorsque vous êtes placé à la droite de votre partenaire) continue à monter jusqu'à l'os de la hanche qu'elle suit, toujours en appliquant suffisamment de pression. Quant à votre main droite, elle suit (avec moins de pression, bien sûr) l'intérieur de la cuisse, massant au plus près des organes génitaux. Vous ramenez ensuite votre main gauche à la hauteur de la main droite et toutes deux glissent sur les côtés de la jambe jusqu'à la hauteur de la cheville où on reprend le mouvement.

Le point important de ce mouvement, c'est de faire en sorte que vos mains soient toujours parallèles dans le mouvement de retour. Attendez donc que votre main gauche en ait terminé avec son exploration de l'os de la hanche (qu'on masse avec une forte pression) avant d'entreprendre, de la main droite, le mouvement de retour.

Pour celui-ci, vous pouvez n'effleurer la cuisse et la jambe que du bout des doigts. C'est une variante fort agréable.

Caresse de l'avant-jambe avec le pouce

De retour à la cheville, placez vos pouces près du tibia, et, avec des mouvements circulaires de pression modérée, vous faites bouger les muscles logés le long de cet os. Montez ainsi jusqu'au-dessus du genou où vous pouvez alors saisir le gros muscle qui s'y trouve et le secouer rapidement à plusieurs reprises.

Compression de l'avant-jambe

Vos mains reviennent à la position du début. Votre main gauche se pose à mi-chemin entre la cheville et le genou, sur le côté extérieur de la jambe, de façon à tenir la jambe stable pendant toute la durée du mouvement. La droite se place à plat sur la face intérieure de la jambe, à la hauteur de la cheville. Imaginez que vous divisez la face interne de la jambe en trois bandes parallèles qui montent jusqu'au genou. Le but de ce mouvement est de comprimer chacune de ces bandes successivement.

Donc, du bout des doigts de votre main droite, vous pressez fortement et vous montez en appliquant la même pression jusqu'en dessous du genou. Là, reprenez le même mouvement à rebours, mais cette fois en appliquant la pression avec la paume. À la cheville, vous attaquez la deuxième bande parallèle et vous faites le même mouvement. Pendant tout ce temps votre main droite ne bouge pas.

Faites ce mouvement deux ou trois fois du côté interne de la jambe avant de passer à la face externe, cette fois avec votre main droite immobilisant la jambe.

Drainage de la jambe sous le genou

À la hauteur de la cheville, vous placez vos mains à plat de chaque côté de la jambe, les doigts pointant vers le genou, les pouces se joignant sur le

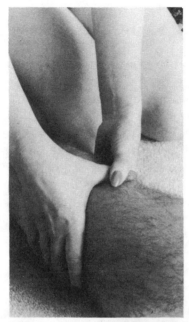

Le genou

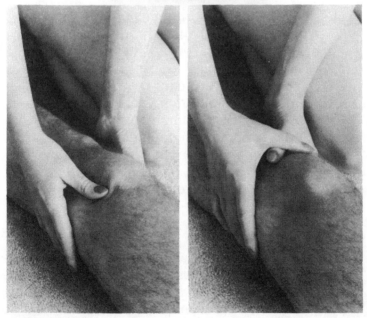

tibia. Vous appliquez une forte pression comme si vous cherchiez à faire refluer le sang vers le coeur.

Montez lentement, toujours avec une forte pression, vers le genou. Là, vous relâchez lentement la pression en partant des paumes et en terminant par la pression exercée seulement du bout des doigts. Pour le mouvement de retour, vous ne faites qu'effleurer les côtés de la jambe. Ne pas appliquer trop de pression en revenant à la position initiale.

Faites ce mouvement à quelques reprises, puis passez au genou d'après les mouvements qui suivent.

Le genou

Posez vos mains de chaque côté du genou, vos pouces l'un par-dessus l'autre immédiatement sous le genou. Le procédé est simple: il s'agit de masser le tour de l'os de vos pouces. En partant du bas, vos pouces dessinent un cercle autour de l'os. Le pouce de votre main gauche masse l'os dans le sens contraire des aiguilles d'une montre tandis que celui de la main droite fait le même mouvement et simultanément, mais cette fois dans le sens des aiguilles d'une montre. À la fin de chaque mouvement de rotation, vous revenez à la position initiale, les pouces croisés l'un par-dessus l'autre sous la rotule.

Vous pouvez répéter ce mouvement à quelques reprises. Puis, du bout des doigts des deux mains, tapotez fermement sur la rotule. N'ayez pas peur de frapper assez vigoureusement, c'est un os!

Pour terminer le mouvement, vous massez, du bout des doigts seulement, en pratiquant de larges cercles de part et d'autre du genou. En exerçant une pression modérée, faites une bonne douzaine de rotations de ce genre.

Frictions rapides

Une variante du mouvement précédent consiste à placer vos doigts sous le genou de votre partenaire. Les pouces posés de part et d'autre de la rotule, vous faites un mouvement très rapide de friction, à la manière d'un piston. Le mouvement doit débuter lentement, puis devenir de plus en plus rapide pendant une bonne trentaine de secondes.

Drainage des cuisses

Le moment est venu de passer à la cuisse.

Vous faites le même mouvement de drainage que vous avez fait pour la jambe: vous formez un bracelet de vos mains tout autour de la cuisse, immédiatement au-dessus du genou et, en exerçant une forte pression (puisque la cuisse est très charnue), vous drainez le sang en direction du coeur. Quand vous arrivez au sommet de la cuisse, vous revenez à votre position de départ en effleurant les côtés de la cuisse, ou encore vous pétrissez du bout des doigts les masses charnues de part et d'autre de celle-ci.

Caresse de la cuisse

Cette fois, c'est à l'aide d'un seul pouce qu'on pratique une forte compression des muscles de la cuisse. Pendant que votre main gauche repose sur le genou de votre partenaire, du pouce de la droite, vous exercez une pression sur le dessus de la cuisse. Augmentez votre pression à mesure que vous montez. La première fois, vous montez en ligne droite jusqu'au haut de la cuisse; à la deuxième reprise, continuez votre pression en tournant vers l'intérieur de la cuisse et, finalement, le pouce dirige sa pression vers l'extérieur de la cuisse.

Portez une attention spéciale à la séparation entre les différents muscles de la cuisse. Ces séparations, vous le constaterez, sont particulièrement évidentes au toucher. Le mouvement de retour se fait par un simple effleurement de la cuisse.

Caresse du mollet avec l'avant-bras

Soulevez la jambe de votre partenaire de sorte qu'elle soit pliée, le pied posé bien à plat sur le plancher ou sur la table. Placez-vous ensuite pour empêcher son pied de glisser. Si vous travaillez sur une

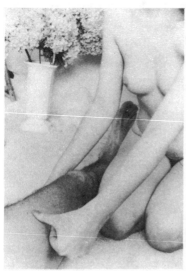 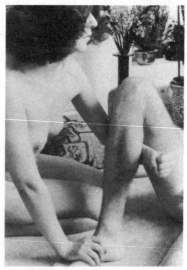

Caresse de la cuisse

Caresse du mollet avec l'avant-bras

table, asseyez-vous tout simplement sur les orteils de votre partenaire. Si vous travaillez par terre, agenouillez-vous de manière à coincer le pied de votre partenaire entre vos genoux.

Ensuite, vous fermez le poing de la main droite et, par la droite, vous glissez votre bras sous son mollet. Vous massez le bas du mollet de la face interne de votre poignet et vous pratiquez un mouvement ascendant sur le mollet de sorte que, rendu en haut, vous massez le mollet avec la partie de votre avant-bras immédiatement sous le coude. Continuez de la même façon sur le dessous de la cuisse.

Pour revenir à la position première, vous faites le mouvement en sens contraire. Faites-le à trois reprises avant de le reprendre de la même façon sur l'autre jambe.

Roulement de la cuisse

Profitez de ce que votre partenaire a la jambe pliée pour faire ce mouvement.

Placez vos mains de chaque côté du genou et, du plat des doigts, vous exercez une forte pression de chaque côté de la cuisse tout en faisant un mouvement de piston de vos mains. Celles-ci doivent continuellement bouger, mais en sens inverse l'une de l'autre, tout en maintenant une pression suffisante sur les masses charnues de la cuisse.

Faites le même mouvement en descendant à votre position initiale et répétez le geste à plusieurs reprises.

Malaxage de la jambe

Il s'agit du même mouvement de malaxage que vous avez fait sur la poitrine et sur les bras. Vous commencez à l'aine et vous descendez tout en malaxant fortement jusqu'à la cheville. Portez une attention spéciale à la région du genou, mais n'exercez pas de trop forte pression à cet endroit. Contentez-vous de malaxer cette région du bout des doigts et continuez ainsi jusqu'à la cheville.

Répétez ce mouvement trois fois pour chaque jambe.

Traction de la jambe

Pour bien réussir ce mouvement, assurez-vous que la jambe de votre partenaire est suffisamment huilée. Il s'agit de tirer la jambe de vos deux mains, mais alternativement, en un mouvement qui se fait d'abord de la main gauche, puis de la droite, puis de la gauche, et ainsi de suite. Vous exercez pendant tout ce mouvement une forte traction sur la jambe comme si vous cherchiez à faire glisser le corps de votre partenaire au bas de la table.

Ce mouvement doit être exécuté avec une certaine rapidité. Ne prolongez pas inutilement chaque traction de la main, mais passez rapidement d'une main à l'autre tout en descendant tout le long de la jambe jusqu'à la cheville.

Flexion des jambes

Soulevez doucement la jambe de votre partenaire en la soutenant par la cheville et pressez-la sur la cuisse à l'aide de votre avant-bras pour la faire fléchir le plus possible. N'essayez pas d'aller plus loin que le point de résistance. Mais à la troisième flexion, exercez une pression plus forte en guise de finale.

Élévation de la jambe

Puis, soulevez doucement la jambe de votre partenaire et faites-lui décrire dans chaque sens un petit arc de cercle avant de la reposer sur la table.

Effleurement de la jambe

Terminez la séquence de mouvements sur la jambe par une série d'effleurements sur toute sa longueur. Doucement, sans appuyer, du bout des doigts, comme des plumes.

Circulation des pieds

Régions ultra-sensibles du corps humain, les pieds méritent une attention toute spéciale. Mais il convient de vous mettre en garde contre toute tentation de massage trop prononcé de la plante des pieds. En effet, la plante des pieds représente toutes les parties du corps humain, depuis les sinus jusqu'à la colonne vertébrale et l'estomac. Donc, si vous insistez trop fortement sur une partie quelconque, à cause de ces correspondances, vous pouvez fort bien provoquer une réaction inattendue sur quelque autre partie du corps humain.

Il est recommandé d'entreprendre le massage des pieds par des frictions destinées à activer la circulation.

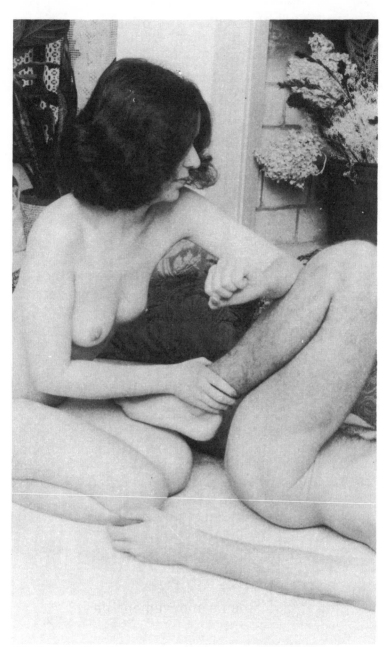

Flexion des jambes

Brosser d'abord les pieds du plat de la main en partant des orteils (toujours en direction du coeur, souvenez-vous-en) jusqu'à la cheville, puis, en soulevant le pied, faites de même sur la plante en partant des orteils jusqu'au talon. Vous pouvez répétez ce brossage une bonne dizaine de fois.

Rotation du pied

Au terme du brossage, gardez le pied légèrement soulevé, à l'aide de votre main gauche et, de la droite, faites-le tourner dans chaque direction. Si vous sentez une résistance, n'insistez pas. Il est souhaitable de faire ce mouvement de rotation trois fois dans chaque sens.

Brossage du pied et de la cheville

Reposez le pied sur la table et reprenez le mouvement de friction du début, mais cette fois avec les pouces et en appliquant une pression assez forte.

Donc, en partant des orteils, les pouces exercent une forte pression sur le dessus du pied et ce, jusqu'à la cheville. Là, du bout des doigts, vous massez fermement l'os de chaque côté. Essayez de presser de vos doigts entre chaque os du cou-du-pied. Prenez votre temps pour bien explorer chaque partie de cette région qui subit à chaque instant des tensions intenses. Plus le massage des pieds est lent, plus il est agréable.

Malaxage du cou-du-pied

Toujours le même mouvement de malaxage, mais cette fois sur le cou-du-pied. Attardez-vous à sentir les os et les tendons de cette région tandis que vos pouces tournent lentement à partir de la cheville jusqu'aux orteils.

Traction du pied

Toujours dans le but de détendre et d'assouplir l'articulation de la cheville, vous soulevez le pied de quelques centimètres au-dessus de la table ou du plancher et, brusquement, vous exercez une solide traction. Il n'est pas nécessaire de répéter ce mouvement.

Pression de la cambrure

Il s'agit de frictionner de la paume de la main le dessous du pied, en partant des orteils jusqu'au talon, mais en appliquant plus de pression sur la cambrure du pied.

Caresse de l'arche

Soulevez légèrement le pied de la main gauche et, du pouce de la main droite, massez le dessous du pied en partant de la forme sphérique sous le pied et vous rendant jusqu'au talon. La pression à exercer doit être ferme.

Les orteils

Il s'agit essentiellement de soumettre les orteils au même traitement que vous avez fait subir aux doigts. Prenez les orteils un à un en commençant par le petit et pétrissez-les, malaxez-les et exercez une légère rotation de même qu'une traction de chacun d'eux. Vous pouvez terminer l'exercice en les pliant doucement, puis prenez les cinq orteils dans

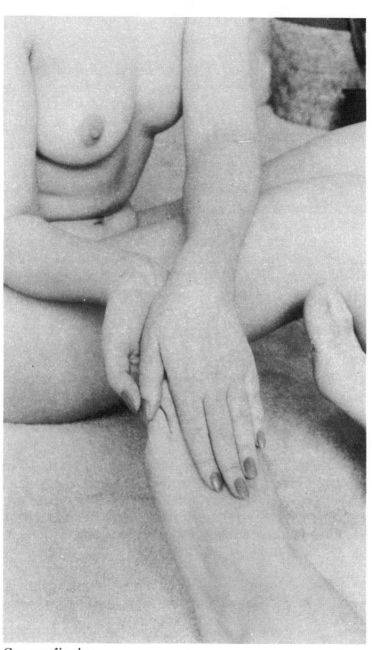

Caresse finale

votre main refermée et réchauffez-les ainsi pendant quelques secondes.

Une autre technique intéressante pour stimuler les orteils, c'est de les «traire» ou encore de leur faire subir une torsion genre «ouvre-bouteille».

Compression de la cheville

Enchaînez avec le mouvement précédent par un brossage du pied jusqu'à la cheville et alors, du bout des doigts seulement, pratiquez de larges cercles sur les côtés de celle-ci. Massez lentement en rétrécissant graduellement les cercles et augmentez de même la pression. Terminez sur l'os de la cheville en appuyant le bout de vos doigts tout autour de celui-ci et en y exerçant une pression assez forte.

Le tendon d'Achille

Appuyez fermement sur le tendon d'Achille et glissez les index tout le long du tendon en partant du pied et jusqu'au mollet.

Caresse finale

Prenez le pied tout entier entre vos mains, une paume sur la plante du pied et l'autre sur le dessus. Détendez-vous pendant quelques instants sans bouger. Concentrez-vous alors sur votre respiration et essayez de faire passer votre énergie dans le pied de votre partenaire.

Terminez en «lissant» le pied jusqu'à ce que le bout de vos doigts ne touchent que le bout des orteils et brisez le contact tout doucement.

7- Les jambes et les cuisses (partie arrière)

Activation de la circulation

Vous procédez toujours de la même façon, i.e. par de larges mouvements qui couvrent toute la surface. Celle-ci doit être bien huilée, ne l'oubliez surtout pas.

Compression

On répète le mouvement pratiqué sur le devant de la jambe. Les mains placées sur la cheville, vous appliquez une forte pression et vous glissez les mains (l'une avec les doigts vers vous et l'autre en sens inverse) jusqu'au sommet de la cuisse, immédiatement sous les fesses.

Séparez les mains. L'une va souligner l'os de la hanche qu'elle délimite avec une forte pression alors que l'autre glisse sur la face intérieure de la cuisse dont elle masse fermement le repli. Le retour, comme sur le devant de la jambe, doit se faire dans un mouvement synchronisé des deux mains qui massent les côtés de la cuisse et de la jambe pour reprendre enfin la position initiale.

Friction de la jambe et de la cuisse

Placez-vous à côté de votre partenaire et mettez vos deux mains côte à côte sur sa cheville. Ce mouvement demande une pression légère mais ferme. Vous déplacez vos mains d'un côté à l'autre de la jambe, alternativement, c'est-à-dire qu'elles se dirigent toujours en sens contraire l'une de l'autre. Procédez ainsi en vous déplaçant lentement sur toute la

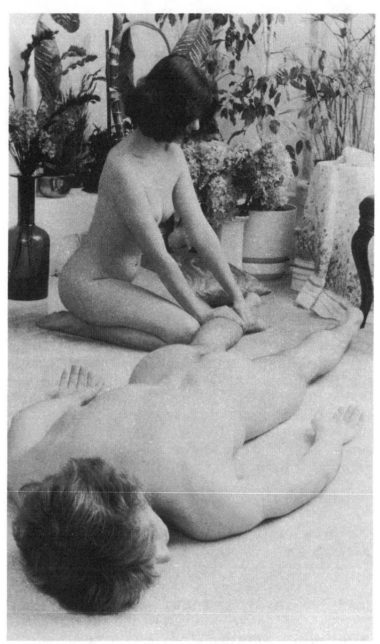

Friction de la jambe et de la cuisse

surface de la jambe et de la cuisse, puis revenez, toujours avec le même mouvement de piston des deux mains, jusqu'à la cheville. Une seule fois suffit pour ce mouvement.

Drainage du jarret

Vous êtes certainement familier maintenant avec ce mouvement que vous exercez en appliquant une forte pression allant de la cheville jusqu'au genou. Comme cette partie de la jambe est très charnue, vous pouvez presser fermement, directement au centre du muscle, sans vous préoccuper de pression sur les côtés de la jambe. Répétez ce mouvement de drainage une bonne douzaine de fois.

L'autre technique de drainage, qui est peut-être plus agréable à faire, consiste à placer vos mains l'une près de l'autre de chaque côté de la jambe, les doigts pointant vers le genou, les pouces sur le dessus de la jambe. Vous appliquez suffisamment de pression en montant lentement sur le mollet; quand vous revenez, relâchez votre pression.

Caresse du mollet avec le pouce

Servez-vous de vos pouces pour identifier et séparer les deux gros muscles du mollet. En partant de la cheville, vous les pétrissez lentement en montant jusqu'en bas du genou.

«Traire» le mollet

Ce mouvement est une variante de celui de drainage. Mais vous ne vous servez que d'une main. Placé au côté de votre partenaire, vous lui soutenez la jambe d'une main, à la hauteur de la cheville, pen-

«Traire» le mollet

dant que, de l'autre, qui couvre le mollet, vous glissez doucement en partant du genou et en appliquant une pression modérée, jusqu'à la cheville.

Pétrissage du mollet

Toujours en soutenant la jambe de votre partenaire, vous pétrissez toute la région du mollet. Attardez-vous de même au tendon d'Achille.

Rotation du genou

Reposez la jambe de votre partenaire sur la table, montez jusqu'au genou en un mouvement de drainage et, une fois au genou, appuyez fermement vos deux mains à l'arrière de celui-ci. De la paume, faites des mouvements circulaires dans chaque direction à quelques reprises.

Caresse de l'intérieur du genou

Puis, cette fois du bout des doigts d'une seule main, vous massez délicatement la même région, avec les mêmes petits gestes de rotation.

Effleurage de l'avant-jambe

À la cheville, enserrez toute la jambe entre vos mains et montez en exerçant une forte pression. Le mouvement de retour se fait sans pression et, une fois à la cheville, reprenez le même mouvement.

Drainage des cuisses

Répétition du mouvement de drainage sur cette partie du corps. Notez que cette région est celle qui contient souvent la plus forte concentration de gras.

Aussi, si on veut en éliminer une partie, il convient de s'y attarder et de faire les mouvements qui suivent à de nombreuses reprises au cours du massage.

Pétrissage des cuisses

Placez-vous à côté de votre partenaire. Vos mains reposent à plat sur la face interne de sa cuisse. Il s'agit de les lever l'une après l'autre comme pour «tirer» la chair vers le haut. Attendez d'avoir fini le mouvement d'une main avant de commencer celui de l'autre. Le rythme doit être assez rapide et se faire en souplesse. Commencez le mouvement de pétrissage à la hauteur du genou jusqu'au haut de la cuisse et faites le même mouvement en descendant jusqu'au genou.

S'il y a des signes d'accumulation de graisse dans cette région, n'hésitez pas, encore une fois, à prolonger le mouvement.

Malaxage de l'arrière de la jambe

En partant du genou, malaxez en profondeur toute la cuisse et les côtés de la cuisse. Étant donné que cette partie est très charnue, ne craignez pas d'exercer une forte pression. Vous pouvez même monter et descendre de cette façon sur toute la longueur de la jambe.

La griffe

Voici un mouvement inhabituel mais qui est très stimulant. Écartez les doigts des deux mains et pliez-les légèrement de façon à former comme une griffe ou les dents d'un râteau. Puis, vous grattez la surface de la jambe à petits coups fermes et rapides

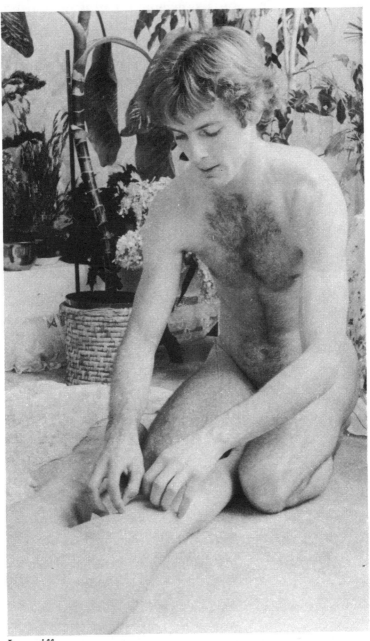

La griffe

des deux mains, mais sans couvrir plus de douze à quinze centimètres à la fois. N'oubliez pas d'agir de la même façon sur les côtés de la jambe.

Une fois à la cheville, remontez au sommet de la cuisse en un mouvement de drainage et répétez la même opération.

Flexion de la jambe

Soulevez l'avant-jambe et pressez fermement contre la cuisse jusqu'à lui faire toucher la fesse. Répétez cette flexion à trois reprises en appliquant plus de pression la dernière fois.

Rotation de la partie inférieure de la jambe

Cette fois, posez la main gauche bien à plat à l'arrière du genou pour maintenir la jambe en position stable et, de la main droite, enserrez la cheville de votre partenaire. Vous soulevez alors l'avant-

 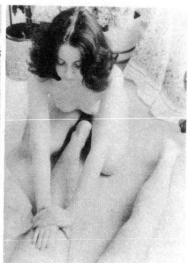

Rotation de la partie infé- Effleurage de la cuisse
rieure de la jambe

jambe et vous lui faites faire trois rotations dans chaque direction.

Élévation de la jambe

Enchaînez avec une élévation et une rotation de toute la jambe. Vous saisissez encore la jambe à la cheville et vous soulevez pour que la jambe s'élève de deux à cinq centimètres au-dessus de la table ou du plancher et vous décrivez alors un grand cercle, le plus large possible.

Effleurage de la cuisse

Posez une main bien à plat à la base du mollet, doigts pointés vers le genou et appuyez votre main libre sur celle-ci. Vous doublez alors la pression de vos mains et vous concentrez cette pression en un seul endroit. Dans cette position, drainez la jambe jusqu'au haut de la cuisse. Terminez le massage de la jambe par une caresse du bout des doigts sur toute sa surface.

8- Les fesses

Pour des raisons bien évidentes, les fesses sont certes la partie du corps la plus facile à masser. Raison de plus pour s'y attarder, surtout quand nous nous intéressons au premier chef aux gestes qui font du massage une oeuvre érotique.

Pétrissage des fesses

Il s'agit d'abord de pétrir la chair des fesses exactement de la même façon que vous le feriez avec une pâte à pain ou à tarte. Vous saisissez la chair entre le pouce et les doigts et vous la soulevez tout en la roulant entre les doigts. Faites attention de ne pas la pincer. Pétrissez ainsi toute la surface d'une fesse avant de passer à l'autre. Il n'est pas nécessaire de changer de côté pour pétrir l'autre fesse. En vous plaçant à la hauteur de celles-ci, vous n'aurez aucune difficulté à rejoindre les deux masses charnues.

Malaxage du bout des doigts

Pour ce mouvement, vous travaillez, comme en premier lieu, sur une fesse à la fois. Placez le majeur et l'auriculaire sur votre index de façon à former, de ces trois doigts, une manière de triangle. Puis, vous partez du point supérieur de la fesse, i.e. presque à la taille, immédiatement à droite de la colonne vertébrale (ou à gauche si vous commencez de l'autre côté). Les doigts fermés de cette façon, massez toute la surface de la fesse en suivant une série de lignes

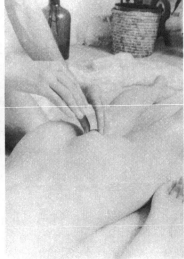

Pétrissage des fesses

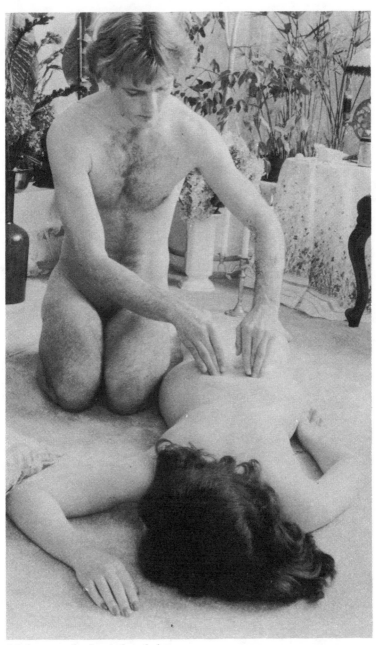

Malaxage du bout des doigts

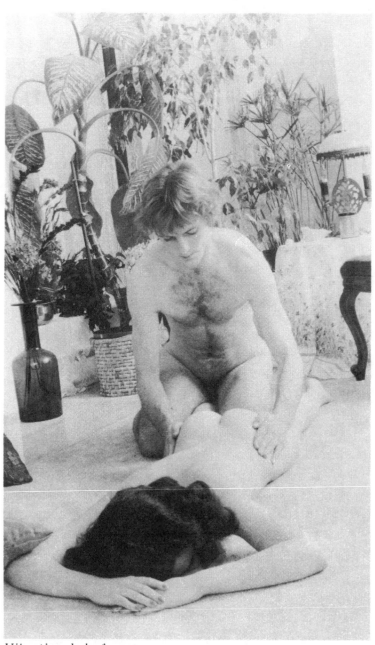

Vibration de la fesse

148

parallèles qui partent du sommet de la fesse et se terminent sur les côtés.

Donc, avec de petits mouvements circulaires appliqués d'une pression ferme, suivez cette bande de chair de la colonne vertébrale jusqu'à la table (ou le plancher). Puis ramenez-les en un léger effleurement de la fesse et reprenez position au sommet de celle-ci pour faire le même mouvement jusqu'à ce que vous l'ayez toute couverte, de même qu'une petite partie de la cuisse. Pour continuer le mouvement sur l'autre fesse, il est conseillé de changer de côté de façon que vous puissiez caresser cette région plus aisément quand vos doigts atteindront les côtés.

Vibration de la fesse

Placez la paume de votre main en un point central du côté de la fesse, les doigts pointant vers la tête. Pressez fermement et faites vibrer votre main aussi rapidement que vous le pouvez. Faites vibrer ainsi la masse de la fesse pendant une dizaine de secondes, puis commencez à faire de grands mouvements circulaires sur toute sa surface de la paume de la main.

Pour couvrir systématiquement la fesse, imaginez que celle-ci est divisée en bandes qui vont du dos à la cuisse. Ainsi, toujours avec les mouvements circulaires de la paume et en alternant avec la vibration décrite ci-haut, vous êtes certain de bien masser toute sa surface.

Caresse avec les jointures

Cette fois, c'est avec les jointures que vous massez chaque fesse du bas jusqu'en haut. Pour vous faciliter la tâche, il est encore recommandé de diviser la surface en bandes verticales de façon à vous permettre de la couvrir intégralement.

Caresse du plat de la main

Voici un mouvement qui active toute la surface de cette région. Appuyez vos mains bien à plat sur les fesses et effectuez de larges mouvements circulaires sans toutefois appliquer trop de pression. Couvrez bien toute la surface à plusieurs reprises.

Compression des fesses

Écartez les doigts de la main et ouvrez-la en éventail. Posez la main ainsi ouverte sur les deux

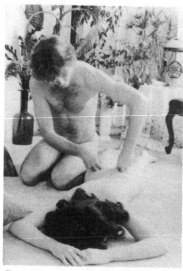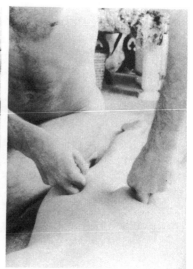

Caresse avec les jointures

fesses simultanément, à l'endroit où elles joignent les cuisses. Votre main couvre ainsi une bonne partie de la surface inférieure des fesses. Faites vibrer votre main, secouez-la le plus rapidement possible de gauche à droite en essayant de faire bouger la masse entière des fesses. C'est un mouvement fort agréable et des plus simples à réussir.

9- Le dos

Dans le massage complet, que vous le considériez comme un prélude au massage érotique ou non, le dos constitue la partie la plus importante de tout le massage. Inutile de souligner à quel point les gens de nos jours sont susceptibles de maux de dos. Région où les tensions s'accumulent sans trouver de soulagement, les muscles du dos sont les parents

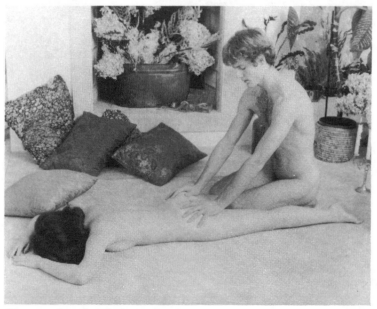

Caresse du plat de la main

Compression des fesses

pauvres de notre corps. Nous les soumettons à toutes sortes de tensions sans jamais songer à les soulager.

Cette séquence de mouvements vous permettra de terminer en beauté la première partie de ce massage érotique. Avec le massage du dos, l'euphorie ainsi créée rendra encore plus facile l'élévation du niveau d'excitation sensuelle de sorte que les mouvements suivants concernant les zones érogènes et génitales seront d'autant plus facilités et... gratifiants!

Circulation

Vous vous placez aux pieds de votre partenaire et posez vos mains à plat au bas du dos, près de la colonne vertébrale, mais sans toutefois la toucher. Puis, en appliquant suffisamment de pression, vous montez les mains (doigts pointant vers la tête) jusqu'à la nuque, que vous ne touchez pas cependant. À ce point-là, vous tournez les mains et les rejetez vers les côtés. Une variante permet de caresser du bout des doigts, par de petites frictions circulaires, les flancs de votre partenaire en revenant à la position initiale.

Si on travaille sur le plancher, il est plus agréable alors de s'asseoir sur les cuisses de son partenaire.

On peut également faire une variante de cette caresse de circulation de la façon suivante: les mains posées à plat au bas du dos, les doigts pointant les uns vers les autres mais sans toucher la colonne vertébrale, vous comprimez ainsi tout le dos jusqu'aux épaules. Vous revenez en position initiale en relâchant la pression et en effleurant des doigts les

Circulation
154

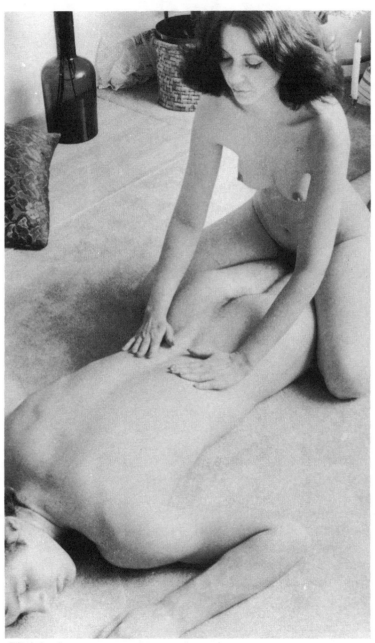

Circulation

155

flancs de votre partenaire. Une variante du mouvement de retour permet d'exercer une traction de son corps comme si on voulait l'attirer vers soi.

Massage de la hanche

Placez ensuite le bout des doigts de votre main droite au-dessus de l'os de la hanche, immédiatement du côté droit de la colonne vertébrale et augmentez la pression en appuyant de votre main gauche sur vos doigts. Il s'agit alors de pratiquer de petits mouvements circulaires tout en suivant l'os de la hanche jusqu'à la table ou jusqu'à terre.

Continuez un peu ce mouvement en direction des pieds, puis montez directement sur la fesse et revenez à la position initiale. Répétez ce mouvement circulaire trois ou quatre fois de chaque côté.

Compression du bas du dos

Pour ce mouvement, vous n'employez que vos pouces. Vous partez du même point que pour le mouvement précédent, mais cette fois les pouces rigides et à plat sur le dos, vous faites de petits mouvements rapides en alternant d'un pouce à l'autre, vers le haut, tout en exerçant une forte pression à la taille.

Vous retroussez ainsi la chair à un endroit qui a tendance à s'empâter. Il ne sert à rien de monter trop haut dans le dos, concentrez-vous plutôt sur une bande d'environ 10 centimètres par 10 centimètres de chaque côté de la colonne. Pétrissez ainsi avec les pouces par des mouvements vifs et précis.

Massage de la hanche

Le cheval berçant

Ce mouvement s'adresse à la colonne vertébrale même. En commençant au bas de la colonne, vous placez le majeur et l'index de la main droite de manière à former un V. Placez votre main gauche sur la droite pour en augmenter la pression. De cette façon, chacun de vos doigts se trouve à monter de part et d'autre de la colonne vertébrale dans les fosses musculaires qui la bordent. Vous montez jusqu'à la nuque en appuyant fermement, puis vous relâchez votre pression pour revenir à votre point de départ.

Une variante du mouvement de retour consiste à vous servir alternativement de vos deux mains pour masser la colonne à la manière décrite ci-haut. C'est-à-dire que votre main droite (majeur et index toujours ouverts en V) glisse le long de la colonne sur quelques centimètres et ensuite la main gauche reprend le même mouvement sur une courte distance, mais en commençant un peu plus haut que le point d'arrêt de la main droite. Une fois que la gauche a terminé son mouvement, la droite reprend la relève, mais un peu plus haut toujours, et ainsi de suite. Vous créez ainsi un effet de «vagues» qui descendent le long de la colonne vertébrale de votre partenaire. Une sensation très excitante.

Ondulation de la colonne

Reprenez le mouvement précédent, mais cette fois en montant vers la nuque; appuyez la paume de votre main droite directement sur la colonne. Pour le mouvement de retour, n'oubliez pas le majeur et l'index qui pétrissent les muscles qui longent la colonne.

Le cheval berçant

Spirale du pouce sur la colonne

Comme son nom l'indique, vous vous servez d'un seul pouce pour décrire une petite spirale ascendante et descendante tout le long de la colonne. La pression à exercer doit être suffisante pour sentir les os sous le pouce.

Malaxage des muscles de la colonne

Du bout des doigts, comme vous l'avez fait pour l'abdomen et d'autres parties du corps, stimulez la chair et les muscles tout le long de la colonne vertébrale dans un mouvement ascendant et descendant ferme et régulier.

Massage des côtés du torse

Changez de position et placez-vous d'un côté de votre partenaire. Vous posez vos mains côte à côte, les doigts pointant vers le bas, à la hauteur de la hanche et vous tirez votre main vers vous, d'abord la gauche, ensuite la droite.

Vous pouvez même commencer le mouvement à l'extrémité de la cuisse et monter jusqu'à l'aisselle pour revenir de la même façon. N'ayez pas peur de faire ce mouvement rapidement. Plus il est rapide, plus la sensation est excitante.

Frictions intenses

Concentrez la pression en posant vos mains l'une par-dessus l'autre et comprimez fortement le dos, tout en évitant la région de la colonne. Commencez au bas du dos et, avec des gestes circulaires, frictionnez-en toute la surface jusqu'aux épaules, sans oublier celles-ci, puis revenez en faisant le même mouvement de l'autre côté.

Friction du dos en éventail

À cheval sur les cuisses de votre partenaire, placez vos mains en éventail au bas de son dos, de part et d'autre de la colonne vertébrale. Puis, en appliquant une forte pression, glissez les mains vers les côtés. Montez un peu et faites le même mouvement, toujours en évitant la colonne, jusqu'à ce que vous arriviez à la nuque. Là, descendez en pétrissant les côtés et recommencez le même mouvement.

La nage

Ce mouvement que vous avez déjà exécuté sur la poitrine et l'abdomen, vous le recommencez cette fois-ci sur le dos à partir de la taille jusqu'aux épaules et en incluant celles-ci. Faites bien attention cependant de ne pas appliquer trop de pression sur les omoplates.

Malaxage du dos

Ce mouvement de malaxage, vous le faites sur toute l'étendue du dos de même que sur les côtés. Ne craignez pas d'y mettre de l'ardeur, d'autant plus que cela aidera énormément à libérer la tension accumulée dans cette région du corps. Soulevez et pétrissez fermement les muscles à plusieurs reprises, le résultat n'en sera que plus heureux.

Les ciseaux

Comme son nom l'indique, il s'agit d'un mouvement qui pétrit la chair entre les doigts ouverts en

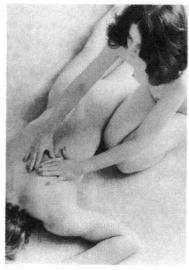

Les ciseaux   *Pression avec l'avant-bras*

forme de ciseaux. Rien de plus simple: du pouce de la main droite, vous poussez la chair entre le pouce et l'index de l'autre main ouverts en ciseaux. Pour être vraiment efficace, ce retroussement doit se faire très méthodiquement. Donc, prenez bien votre temps et assurez-vous de bien couvrir toute la surface du dos et même des côtés. Une seule fois suffit.

Pression avec l'avant-bras

Appuyez l'avant-bras droit sur le dos de votre partenaire, à la hauteur de la taille, et augmentez la pression ainsi obtenue en y appuyant votre main gauche. Puis frictionnez de votre avant-bras toute la surface du dos en le bougeant en «dents de scie». Allez-y vigoureusement, ce mouvement est très stimulant.

Effleurage du dos

Placez-vous à la tête de votre partenaire pour effectuer ce mouvement de friction à la grandeur du dos. Du plat des mains largement ouvertes, appuyez fermement et effectuez de larges rotations sur le dos en descendant progressivement à la taille. Ramenez alors vos mains sur les flancs et remontez en opérant une traction assez forte, comme pour tirer votre partenaire vers vous. Revenez à la position de départ et reprenez le mouvement trois ou quatre fois de suite.

Rotation de l'épaule

Ainsi placé à la tête de votre partenaire, glissez une main sous son épaule, tout en immobilisant l'omoplate de votre autre main et faites tourner l'épaule. Effectuez ce mouvement de rotation deux ou trois fois et enchaînez avec une friction vigoureuse de l'omoplate.

Pétrissage de l'épaule

Passez immédiatement au pétrissage des muscles des épaules, surtout entre celles-ci et le cou. Massez-les vigoureusement, les serrant entre le pouce et les doigts en une sorte de malaxage continu et régulier que vous faites des deux côtés à la fois. Cette région est souvent le siège de nodosités, de muscles durcis et tendus. Ce malaxage, s'il dure assez longtemps, permettra une détente bienfaisante.

Pétrissage du trapèze

Enchaînez avec le pétrissage du trapèze en vous déplaçant à nouveau aux côtés de votre partenaire. Puis frictionnez le dos en un mouvement ascendant jusqu'aux épaules et poursuivez votre course en insérant vos mains par-dessus les épaules de votre partenaire pour y pétrir les muscles de façon systématique.

Servez-vous de vos pouces pour bien pétrir les muscles du trapèze, situé dans le dos, immédiatement sous le cou. Vous sentirez probablement à cet endroit de ces petites bosses étranges, sous vos pouces. Ces noeuds dans les muscles sont le résultat de tensions accumulées. Ne les pressez pas trop fortement au début, mais massez la région environnante avant de vous y attarder, car une pression directe peut s'avérer très douloureuse.

Retroussement de l'épaule

Sous les omoplates, appliquez plus de pression et «retroussez» la chair en la poussant de vos mains posées à plat vers les épaules. Refermez les mains au sommet de l'épaule et poussez avec les paumes de sorte que vous allez faire «friser» les muscles que vous pourrez alors saisir et masser de vos doigts.

Malaxage de l'épaule

Descendez vos mains sur une épaule et malaxez ces muscles lentement mais avec vigueur. Les femmes sont surtout sujettes à des tensions dans cette région. Donc, en malaxant leurs muscles lentement, avec application, vous les soulagez et leur faites sentir une impression de détente accrue. Prenez bien votre temps et quand vous en avez terminé avec une épaule, passez à l'autre que vous traitez de la même manière.

Retroussement de l'épaule

Friction de la nuque

Toujours avec naturel et aisance dans le geste, placez vos mains sur les épaules et, de vos pouces, entreprenez un long massage des muscles de la nuque. Appliquez une pression modérée, surtout si ces muscles sont le siège de fortes tensions. Il vaut mieux commencer le pétrissage de façon légère pour accentuer la pression au fur et à mesure du mouvement.

Frictions rapides du dos

Revenez vous placer à la tête de votre partenaire et reprenez les petites frictions rapides que vous avez déjà effectuées au bas du dos. C'est-à-dire qu'à l'aide de vos pouces seulement vous pressez les muscles et vous les «retroussez» en poussant vers le bas. Ce mouvement, rappelons-le, s'effectue en alternant la poussée d'un pouce avec l'autre. Il ne faut pas oublier de toujours garder le contact avec votre partenaire. Donc, allez-y rapidement, mais en cadence.

L'«ouvre-bouteille»

Mouvement inhabituel qui peut sembler compliqué, mais qui est facile à réaliser une fois que vous en avez saisi le principe. Placez-vous aux pieds de votre partenaire, les mains fermées sur ses épaules, et là, appuyez fermement les paumes de façon à exercer une forte traction de la chair vers le bas. Glissez vos mains en oblique de façon à ce qu'elles se croisent. À ce moment, tournez-les de sorte qu'elles soient placées l'une au-dessus de l'autre, mais les doigts pointés en directions opposées.

L'«ouvre-bouteille»

Tout en continuant d'exercer une forte pression, glissez les mains en sens opposés vers les flancs. Vous pouvez recommencer ce mouvement en couvrant tout le dos de cette façon.

Plissage du dos

Encore une fois placé à côté de votre partenaire, vous posez les mains sur les trapèzes et les bougez rapidement, mais en sens opposé l'une de l'autre, comme un piston, à vitesse plus ou moins grande. Descendez lentement les mains et continuez à les bouger de façon à couvrir tout le dos du même mouvement tout en conservant la même pression et la même cadence. Il suffit de faire ce mouvement une seule fois.

Caresse sous l'omoplate

Retournez à la tête de votre partenaire et passez la main sous son épaule. Soulevez fermement de façon à faire saillir l'omoplate et, du pouce, vous en suivez le contour en essayant de masser sous l'os. Les muscles cachés par l'omoplate recevront ainsi une stimulation à laquelle ils n'ont malheureusement pas souvent droit.

Caresse du deltoïde

Les mains placées en éventail, partez du milieu du dos et montez jusqu'aux épaules en effectuant des mouvements circulaires de toute la main. Pétrissez longuement en essayant de bien couvrir toute la région.

Caresse du dos avec les avant-bras

Pour terminer votre massage du dos en beauté, essayez ce mouvement qui a l'avantage de lier tous les mouvements et de provoquer une détente globale sur toute la surface traitée.

Placé aux côtés de votre partenaire, vous posez les bras sur son dos à mi-chemin entre le cou et les fesses. Écartez les bras de façon qu'ils atteignent simultanément la nuque et les fesses et appliquez suffisamment de pression de sorte que la chair de la face interne de vos bras soit légèrement étirée. Une fois le mouvement terminé, ramenez vos bras au centre du dos et recommencez le mouvement à quelques reprises.

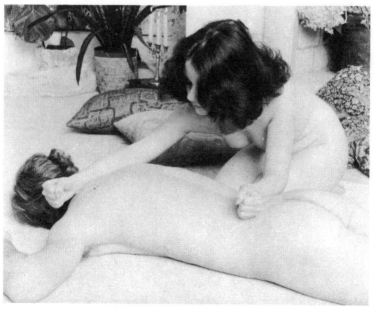

Caresse du dos avec les avant- bras

Ce mouvement d'écartement des bras peut se pratiquer en diagonale, à angle droit, bref de n'importe quelle façon. Nous vous le recommandons car il termine magnifiquement cette séquence. Attardez-vous à couvrir tout le dos en appliquant la pression d'abord d'un côté, puis sur la colonne vertébrale et ensuite sur le côté opposé de votre partenaire.

Chapitre VII

CARESSES
DE TOUT LE CORPS

Le massage ne serait pas complet (!) sans quelques caresses sur toute la surface du corps. Étant donné que votre partenaire est étendu sur le ventre, commencez donc par le dos.

Cette deuxième partie du massage érotique vous permettra de faire monter d'un cran la tension sexuelle. Tout d'abord il faut faire le lien entre le massage de détente, que vous venez d'accomplir, et la suite du massage érotique.

La griffe

Ce mouvement avec lequel nous nous sommes familiarisés peut être employé sur toute la surface du dos, des fesses, des cuisses et des jambes.

Rappelez-vous la façon de procéder: ouvrez les doigts et refermez-les de manière à former une griffe, et allez-y par petits coups — j'allais dire de «griffes» — des deux mains. Commencez aux épaules et descendez graduellement sur le dos, sur

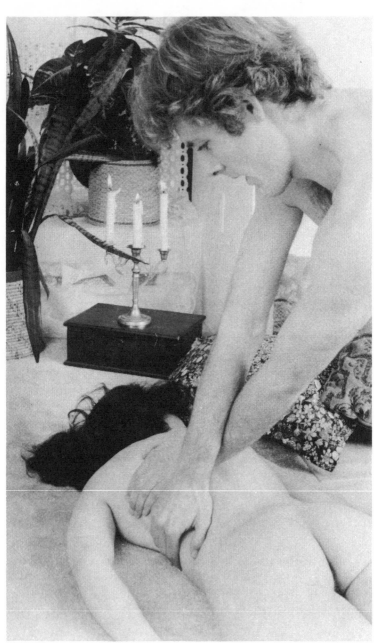

La «marche de l'ours»

les fesses, les cuisses et les jambes. N'oubliez pas les flancs.

Compression

Les mains placées l'une contre l'autre, mais les doigts pointés en directions opposées, vous appliquez une forte pression à partir de la cheville et vous glissez les mains jusqu'en haut de la jambe. Mais ne vous arrêtez pas là, continuez le mouvement sur la fesse et sur le dos.

Vous ne séparez les mains que lorsque vous en êtes à l'omoplate. Vous les ramenez ensuite en appliquant la pression des paumes sur la fesse et vous reprenez le même mouvement sur l'autre jambe.

La «marche de l'ours»

Mouvement très tonifiant qui stimulera davantage votre partenaire. Voici de quelle façon procéder: placez-vous d'un côté de votre partenaire et étendez les mains sur le côté du torse qui vous est opposé. Le mouvement se fait d'abord avec une main, ensuite avec l'autre.

Commencez avec la main gauche. La paume placée près de la colonne vertébrale, les doigts pointant vers le côté du torse, à la hauteur de l'aisselle, vous appuyez fortement en portant votre poids sur cette main; puis relâchez la pression que vous ferez alors passer sur la main droite déjà placée près de la gauche. Passez la main gauche par-dessus la droite de sorte que lorsque vous relâchez la pression de la droite, vous la portez immédiatement sur la gauche et ainsi de suite.

Vous procédez de cette façon jusqu'au bas de la jambe. Placez-vous ensuite de l'autre côté de la table et répétez le processus en partant de la cheville et en remontant jusqu'à l'épaule.

Bien sûr, direz-vous, en agissant ainsi on se trouve à briser le contact pendant quelques secondes avec son partenaire. Ne vous inquiétez pas outre mesure: si cette pause se fait rythmiquement, si elle s'insère dans la cadence de votre mouvement, elle ne brisera nullement le «flux» du massage.

Caresse du «ciseau»

Placez-vous près de votre partenaire, à peu près à la hauteur de sa hanche, et ouvrez la main gauche en écartant le plus possible le pouce et les doigts de façon à étirer au maximum la peau entre le pouce et la main. Formant ainsi une sorte de «ciseau», vous appliquez votre main sur le côté de la jambe à la hauteur de la cheville et, d'un seul mouvement, vous glissez, en appliquant une forte pression, tout le long de la jambe, sur la fesse et sur le côté, jusqu'à l'aisselle. Quand votre main gauche est presque rendue à l'aisselle, que la main droite se prépare à prendre la relève. Vous l'ouvrez dans la même position et vous faites le mouvement en sens inverse tout en conservant la même vitesse d'exécution et en appliquant la même pression.

Si vous êtes bien placé, les pieds suffisamment écartés, vous n'aurez aucune difficulté à réussir ce mouvement d'un seul trait.

Refaites-le à quelques reprises, de même que de l'autre côté, évidemment.

Caresse du «ciseau»

Friction des deux mains

Pour ce mouvement, placez-vous aux pieds de votre partenaire. Posez vos mains sur ses chevilles, une main sur chacune, bien sûr. Qu'elles soient légèrement refermées pour bien épouser la forme de la cheville, les doigts pointant vers l'intérieur.

Puis, avec une bonne pression, vous glissez les mains d'un seul mouvement sur les jambes, les cuisses, les fesses et le dos de votre partenaire. Pour réussir ce mouvement d'un seul trait, il vous sera nécessaire de vous placer à côté et non aux pieds de votre partenaire. À vous de choisir la façon de procéder.

Pour le mouvement de retour, vous posez vos mains sur les côtés de votre partenaire et vous les descendez en exerçant une forte traction, comme si vous vouliez le tirer en bas de la table.

Reprenez ce mouvement à quelques reprises.

Caresse de la plume

Pour la grande finale, vous pratiquez un mouvement qui fait le lien entre les mouvements précédents et ceux, plus érotiques, qui vont suivre.

Vous n'utilisez que le bout des doigts et encore ne devez-vous appliquer qu'une pression minimale. Donc, du bout des doigts, comme des plumes, vous caressez tout le corps de votre partenaire depuis la nuque jusqu'à la plante des pieds, en un seul mouvement.

Évidemment, il existe plusieurs variantes de ce mouvement. Vous pouvez fort bien ne caresser qu'une seule jambe la première fois pour remonter et passer à l'autre jambe et refaire le mouvement une troisième fois pour terminer sur les deux jambes en même temps.

L'important, c'est d'être doux, lent et caressant. Ce dernier toucher ne fera qu'augmenter davantage la sensation de détente de votre partenaire. De fait, il se sentira alors si calme que votre toucher, même d'un seul doigt, aussi léger soit-il, lui paraîtra incroyablement merveilleux.

Demandez maintenant à votre partenaire de s'étendre sur le dos et reprenez quelques-uns des mouvements à pleine grandeur que nous venons de décrire. Mais attention de ne pas appliquer de trop fortes pressions sur l'abdomen et sur certaines régions plus sensibles.

Puis, avant de refaire la caresse de la «plume», appliquez un massage rapide au visage. Évidemment, quand on parle de massage rapide, cela ne signifie pas qu'il faut faire les mouvements à la hâte. Au contraire. Il s'agit simplement de ne faire que quelques-uns des mouvements destinés au visage et non pas tous les mouvements. La rapidité d'exécution, à ce moment-ci, ne viendrait que détruire l'harmonie corporelle que vous avez mis plus d'une heure à réaliser.

Puis, en grande finale, refaites la caresse de la plume sur toute la face antérieure du corps de votre partenaire.

Comme il s'agit ici d'un massage érotique, il n'est pas question de vous arrêter là, bien sûr. Aussi, quand il est question de caresses sur toute la surface du corps, il ne faut pas vous gêner pour les recommencer plusieurs fois de suite. Dans un massage de détente, trois ou quatre fois seraient amplement suffisantes pour créer l'impression de relaxation. Mais dans le massage érotique, il s'agit de faire le lien entre ce qui précède et ce qui suit.

Donc, faites ces caresses à pleine longueur à de très nombreuses reprises. Non pas dix, mais vingt, trente fois, aussi longtemps qu'il vous plaira. Et puis, l'imagination aidant, pourquoi ne pas recourir à des accessoires qui rendront l'ambiance encore plus sensuelle. Par exemple, servez-vous de plumes pour caresser le corps de votre partenaire. Un autre truc, fortement apprécié par certaines personnes, consiste à enfiler, le plus naturellement du monde, des gants de fourrure.

La sensation de la fourrure sur la peau donnera un petit coup de fouet supplémentaire, surtout si vous vous attardez aux zones érogènes. Évidemment, faites attention si votre partenaire est le moindrement chatouilleux, mais comme nous assumons que vous le connaissez bien, alors vous pourrez laisser libre cours à votre imagination.

Promenez votre gant de fourrure sur la poitrine, sur les seins, en descendant lentement pour caresser les jambes, remontez sur la face intérieure de la jambe, passez sur les organes génitaux et descendez sur l'autre jambe pour terminer par une caresse du visage.

À ce stade-ci, vous pouvez demander à votre partenaire de changer de côté à plusieurs reprises. Et reprenez la séquence des caresses sur le dos et les fesses. N'hésitez pas à reprendre certains mouvements, mais cette fois en brossant légèrement les organes génitaux.

Il existe quantité d'autres trucs pour augmenter la tension sexuelle de votre partenaire (et la vôtre par la même occasion). Un exemple: au lieu de vous servir de vos doigts pour une caresse finale sur la poitrine et sur l'abdomen, utilisez votre souffle. Soufflez doucement sur le corps de votre partenaire. Essayez, par pitié, de ne pas lui souffler d'air froid. Après le massage que vous venez de lui donner, ce serait d'un effet désastreux!

Votre souffle sur le pubis, sur les organes génitaux et sur les seins peut augmenter considérablement l'excitation avant de passer directement aux zones érogènes.

Donc une seule règle prime ici: l'imagination. Mais attention: n'allez pas utiliser des gadgets trop bruyants ou des machins difficiles à manipuler.

À la rigueur, reprenez le fameux vibrateur dont vous vous êtes servi au tout début du massage et passez-le lentement sur le corps de votre partenaire. Évitez d'abord les zones érogènes et génitales, mais au fur et à mesure que vous persistez dans votre caresse, vous pouvez progressivement les inclure dans le mouvement et ainsi passer à la troisième partie du massage érotique.

Chapitre VIII

CARESSES
DES ZONES ÉROGÈNES

Troisième étape du massage érotique. En plus des parties génitales comme telles, il existe quantité d'autres points du corps qui permettent, lorsque stimulés adéquatement, d'augmenter très sensiblement l'excitation sexuelle dans tout le corps et d'accéder graduellement à un état érotique plus marqué.

Dans cette phase, on conseille habituellement de ne pas s'attarder trop aux zones génitales comme telles, mais plutôt de reprendre certaines parties du massage complet à certains endroits du corps. Bien sûr, vous aurez compris que si vous refaites certains mouvements du massage complet, il est indiqué d'appliquer moins de pression, d'y aller avec beaucoup plus de douceur qu'auparavant et surtout, point esentiel pour diffuser dans tout le corps ces sensations qui naissent des régions ponctuelles, de procéder à des caresses légères du bout des doigts sur toute l'étendue du corps à de nombreuses reprises.

Cette technique permet de diffuser dans tout le corps la sensation de montée de l'excitation sexuelle. Le massage érotique étant en effet une expérience qui a pour but d'amener toute la personne, tout le corps, à un degré d'excitation intense, il ne s'agit pas de se concentrer uniquement sur certaines parties au détriment du reste du corps.

Aussi suggérons-nous d'entremêler différents mouvements du massage. Par exemple, si vous vous attardez aux seins pendant quelques instants, enchaînez avec des caresses sur toute la surface du corps pour ensuite procéder à une autre forme de massage d'une autre zone érogène et revenir aux caresses globales.

De cette façon, vous diffuserez dans tout le corps la tension sexuelle générée à partir d'un mouvement effectué sur une région en particulier et vous obtiendrez de bien meilleurs résultats que si vous vous concentrez uniquement sur certaines parties hautement excitables du corps de votre partenaire.

Il est évidemment un autre point qu'il convient de souligner et sur lequel il faut insister à partir de ce moment-ci: bien connaître les particularités érotiques de son partenaire. Savez-vous si un certain type de caresse de l'oreille provoque chez lui une réaction typiquement sexuelle? Ignorez-vous, par exemple, si la caresse des mamelons provoque chez votre partenaire des sensations plus ou moins agréables?

Ces connaissances sont absolument essentielles dans le massage érotique. C'est pourquoi nous vous avons suggéré, dans un chapitre précédent, de procéder aux exercices d'éveil au plaisir.

Lors de cette troisième étape du massage érotique, rappelons-le, il s'agit de vous concentrer sur les zones érogènes du corps de votre partenaire, y compris les zones génitales. Mais sans vous y attarder outre mesure.

Ces régions érogènes, quelles sont-elles? La région du bas-ventre, le pubis, les parties adjacentes, comme l'abdomen, l'intérieur des cuisses, les fesses et le bas du dos. Bien sûr, la région des seins.

Cependant, il ne faudrait quand même pas oublier (et c'est ici que l'exercice d'éveil au plaisir, au désir, aura joué son rôle) qu'il existe quantité d'autres régions du corps de votre partenaire dont la stimulation permet d'augmenter la tension sexuelle. Ces zones, ce sont les oreilles, la nuque, les lèvres bien sûr, les paumes des mains, l'intérieur des coudes et des genoux, les aisselles ou même les orteils! Toutes ces régions sont susceptibles d'exciter considérablement votre partenaire. Donc, attardez-vous-y en conséquence.

Répétons que vous ne devez sous aucun prétexte hésiter à reprendre certaines séquences du massage complet décrit précédemment. Cependant, à ce stade-ci du massage érotique, vous comprendrez qu'il convient de ne pas se montrer aussi «vigoureux» que lors des mouvements précédents. Il s'agit de procéder à la montée de la tension sexuelle, non de provoquer l'orgasme ou l'acmé. Donc, des attouchements légers mais fermes suivis d'effleurements subtils (caresses de la plume) sur tout le corps!

Il est également important de ne pas vous laisser arrêter par vos inhibitions. D'ailleurs, toute forme d'inhibition ne saurait qu'être nuisible lors des rapports amoureux. Ainsi souvenez-vous, par exemple, que les mamelons de l'homme sont aussi susceptibles d'excitation, aussi sensibles que ceux de la femme. Comme chez la femme, ils constituent une zone érogène extrêmement excitable.

Chez la femme, le nez et la lèvre supérieure peuvent être aussi sensibles que son clitoris. Vous l'ignoriez? Alors retenez bien ce point et agissez en conséquence. Pour stimuler ces zones, n'hésitez pas à reprendre certaines parties du massage facial.

Le point le plus sensible de la lèvre supérieure, le plus susceptible d'une charge érotique, c'est le point situé immédiatement sous le nez, au milieu même de la lèvre. Une pression de l'index avec vibration du doigt suffit souvent à augmenter la tension érotique de votre partenaire. Il convient aussi d'y appliquer une légère pression et de se contenter de pratiquer un petit mouvement circulaire du bout du doigt pour obtenir l'effet désiré.

Que votre partenaire, pendant toutes ces caresses, se concentre sur son «troisième oeil», ce point situé au milieu du front et foyer d'une énergie vitale intense. Ainsi, au moment de la pénétration, elle aura l'impression que le pénis vient la toucher à cet endroit précis et elle fera alors l'expérience de «mille soleils»!

Vous pouvez également répandre sur tout le corps de votre partenaire une poudre aromatisée que vous appliquez par de légères frictions du plat des mains. Vous «enrobez» tout simplement son corps de cette poudre par des attouchements légers, subtils, flottants. La meilleure méthode pour bien réussir ce mouvement, c'est de n'y aller que du bout des doigts.

Reprenez la caresse de l'oreille, mais sans pression. Attardez-vous à l'intérieur de celle-ci avec des efffleurements légers comme la plume. Pétrissez tout doucement les lobes et les demi-lunes sous les lobes. Votre partenaire sentira comme une musique dans sa tête!

Effleurez encore une fois les paupières... les joues, le nez, la lèvre supérieure... toujours du bout des doigts ou de la langue, mais du bout seulement.

Votre souffle chaud peut s'avérer un fort stimulant érotique si vous le dirigez à certains endroits précis. Bien des personnes répondent sexuellement lorsqu'on leur envoie ainsi un souffle chaud dans l'oreille, alors que d'autres trouvent cette caresse désagréable car elle provoque une sensation de chatouillement. Voilà encore une fois une occasion où la pratique de l'éveil au plaisir vous aura permis de découvrir ce que votre partenaire ressent à cet exercice.

Mais le souffle chaud sur le cou et la nuque est conseillé. De même que l'effleurement du bout de la langue de l'intérieur des coudes où celle-ci décrit de petits cercles. N'oubliez pas les aisselles où la langue et le souffle chaud peuvent provoquer des réactions très stimulantes. Mais au sujet des aisselles, méfiez-vous des réactions de chatouillement. Apprenez, auparavant, à déceler les zones où votre partenaire ressent ces sensations désagréables, plaies des massages.

Caressez les mamelons du bout de la langue, sans pression, en un simple effleurement passager, mais fréquent. C'est une autre tactique de bon aloi.

Reprenez les mouvements, mais sans pression, sur les seins, la poitrine, le ventre. Attardez-vous au nombril que vous pourrez explorer du bout de la langue, du bout du doigt. Faites-y vibrer votre langue, votre doigt. Réchauffez votre partenaire de votre souffle chaud sur les seins, sur le pubis.

L'arrière des genoux. Encore une fois, reprenez les gestes du massage complet. Légère friction du bout des doigts dans un mouvement circulaire. Caresse du bout de la langue, vibration du bout des doigts, vibration de la langue, caresse du souffle chaud et puis, pourquoi pas, morsure légère de cette région... Poursuivez ces exercices sensuels sur les faces internes des cuisses en évitant de toucher directement la partie génitale.

Remontez par les fesses. À nouveau, reprenez quelques-uns, ou tous les mouvements recommandés pour les fesses. Oubliez les exercices qui commandent trop de pression ou alors, alternez mouvements à pression avec effleurements ou caresses du bout des doigts, de la langue. Explorez du bout des doigts ou de la langue la crevasse chaude qui sépare les deux masses des fesses.

Remontez en suivant de la langue la colonne vertébrale. Avec votre langue, faites de petits cercles sur toute la colonne. Réchauffez-la de votre souffle chaud. Effectuez de petits mouvements en spirale. Couvrez le dos de vos caresses linguales.

Terminez par une morsure de la nuque ou des muscles des épaules. Morsure tendre, faut-il vous l'indiquer? Puis caresse de l'arrière des oreilles.

Madame peut fort bien caresser le dos de son partenaire du bout des seins, caresse hautement stimulante quand elle est la partenaire active du massage érotique.

Est-il besoin de rappeler qu'il n'existe pas de limites à votre imagination? C'est le moment de faire preuve de vos «talents» en matière érotique. Pendant que vous procédez de la main gauche à des effleurements sur toute la surface du corps, pourquoi ne pas reprendre de la droite le vibrateur et le passer légèrement sur d'autres parties du corps? Ou le gant de fourrure, de velours, de satin, les plumes... bref tout dépend de votre esprit inventif. Toute la panoplie que vous suggère votre imagination vous est accessible, à vous d'insérer ces divers éléments dans le tout que constitue cette partie du massage érotique.

Attardez-vous aux orteils. Passez vos doigts entre chaque doigt du pied. Caressez la plante des pieds de votre langue... vous pouvez même aller jusqu'à suçoter les orteils, répétant ainsi le mouvement qui consistait à «traire» les orteils, mais en vous servant de votre bouche cette fois.

Voici une technique intéressante de massage sensuel des seins: de vos pouces seulement, vous pressez légèrement à partir du mamelon et vous les dirigez en sens contraire tout en tirant doucement sur la masse du sein. Ce qui provoque, bien sûr, une sensation d'étirement et d'écrasement du mamelon. Pour le retour, faites de même, mais pressez le mamelon entre vos pouces et pressez, tout doux, comme si vous cherchiez à le faire jaillir du sein. Reprenez ce geste de façon à couvrir toute la surface du sein.

Reprenez souvent les caresses de tout le corps. Brossez légèrement le corps de votre partenaire, puis, lors du mouvement de retour, renversez la main, utilisez vos ongles pour provoquer une sensation de «griffure» du corps. Ce changement de texture de la caresse peut s'avérer très stimulant.

Attardez-vous au coccyx. Pressez-y les doigts et frottez la partie charnue immédiatement sous le coccyx avec de petits mouvements circulaires ou vibratoires.

Pour terminer cette partie, voici une technique qui ne vous semblera probablement pas très «catholique» mais qui fait appel aux notions de «flux d'énergie» du corps humain.

Placez le bout de l'index au sommet de la tête de votre partenaire et le bout de votre autre index sur le périnée, ce point situé entre le rectum et les parties génitales. Pressez modérément tout en effectuant de petites rotations du bout des doigts. Faites bouger vos doigts à l'unisson pendant une minute ou plus avant de passer à la partie suivante du massage érotique. Concentrez-vous sur votre propre respiration pendant que vous faites ce mouvement, essayez d'insuffler votre énergie à votre partenaire, essayez aussi de goûter le rythme de sa propre énergie. Puis, brisez le contact tout doucement, ou terminez par une grande finale d'effleurement sur tout le corps.

Chapitre IX

CARESSES POUR LIER LE GÉNITAL AU CORPS

Cette quatrième étape du massage érotique peut fort bien s'entremêler à la partie précédente. Vous vous en rendrez compte lorsque vous aurez terminé la lecture de ce chapitre.

Il y a cependant une raison à cette distinction. En effet, nous avons divisé le massage érotique en cinq parties de façon que la progression soit continue, du massage complet aux caresses centrées sur la partie génitale, prélude à la relation sexuelle elle-même. Chaque étape du massage est importante en ce qu'elle permet d'intégrer tout le corps à cette relation finale.

Le but du massage érotique n'est pas tout simplement de vous fournir un autre «outil» à ranger dans votre panoplie de techniques amoureuses. Il constitue en fait un moyen d'augmenter votre réponse sensuelle et surtout de vous mettre en harmonie avec votre partenaire, de provoquer chez vous le phénomène d'«écoute» du corps de l'autre. Donc, nous vous conseillons, les premières fois où vous en ferez l'expérience, de suivre cette démarche. Au fur et à mesure que vous deviendrez plus sensible aux réactions de votre partenaire, au fur et à mesure que vous découvrirez son véritable univers érotique (à ce sujet, la connaissance des fantasmes de votre partenaire peut s'avérer un autre moyen de «communion» sexuelle très gratifiant), vous pourrez développer une technique de massage érotique personnelle. Mais d'ici à ce que vous passiez «maître ès érotisme», pourquoi ne pas vous faciliter les choses en suivant la progression décrite ici?

Si cette partie peut vous sembler «presque» semblable à la précédente, sachez que la différence réside dans ce «presque». Dans la section précédente, comme nous l'avons mentionné à ce moment, il s'agissait de provoquer dans le corps de votre partenaire la montée de l'érotisme, du désir. Par des caresses qui évitaient sciemment les parties génitales, nous désirions que le corps tout entier de votre partenaire se mette au diapason de sa sexualité.

Or, dans cette section-ci, il s'agit de la partie la plus essentielle de tout le massage érotique. Le moment est venu d'amener votre partenaire à goûter l'excitation sexuelle dans tout son corps, à partir des zones génitales. Autrement dit, par des caresses légères des parties génitales, vous allez augmenter considérablement le désir chez votre partenaire. Et ce désir ne doit pas être concentré uniquement sur ces zones, mais se répartir dans tout son corps.

Voilà pourquoi il convient de caresser les organes génitaux sans trop s'y attarder; il faut plutôt faire rayonner l'énergie sexuelle dans tout le corps.

C'est en cela que réside essentiellement l'importance de tout le massage érotique. Nous vous l'avons souligné plus avant, notre but n'était pas de vous fournir une autre «tactique» sexuelle. Le massage érotique n'est pas une «façon» de faire l'amour, mais plutôt un moyen d'intégration de tout le corps à la relation amoureuse.

En espérant que tout cela soit bien clair dans votre esprit, c'est seulement en considérant ce processus dans son ensemble que vous serez à même d'en profiter pleinement et de voir votre vie amoureuse et sexuelle déboucher sur autre chose qu'une «p'tite vite» avant de s'endormir comme c'est malheureusement trop souvent le cas dans nos sociétés dites... libérées!!!

L'étape la plus importante du massage érotique est donc de relier les parties génitales au reste du corps, c'est-à-dire de faire circuler l'énergie sexuelle générée par la caresse des organes génitaux dans tout le corps et d'amener ainsi la participation totale, globale, du corps à la célébration amoureuse.

Évidemment, l'idée principale de cette étape, c'est de faire des caresses orientées vers les organes génitaux en particulier, mais qui couvrent aussi d'autres parties du corps, quand ce n'est pas le corps tout entier. Ainsi, une caresse qui s'adresse directement au vagin pourra s'intégrer aux jambes ou au dos. Il faut caresser le corps et les organes génitaux comme si ceux-ci faisaient partie intégrante de tout le corps. (Bien sûr qu'ils en font partie intégrante, mais vous savez... de nos jours, il se produit très souvent une «coupure» à ce niveau. Tout comme la tête est souvent «dissociée» du reste du corps, ainsi les organes génitaux sont trop souvent considérés comme une partie différente du corps humain. Allez savoir pourquoi, d'ailleurs!)

Les mouvements à exécuter sont évidemment des caresses qui couvrent tout le corps, comme je l'ai décrit précédemment. Par ce moyen, on réussira à réaliser le «transfert» de l'énergie sexuelle, générée par la caresse des organes génitaux, à tout le corps et à faire participer le corps tout entier à la montée sexuelle.

Bien sûr, on reprend encore une fois la plupart des mouvements précédents, mais en y ajoutant certains éléments qui touchent les organes génitaux.

Vous pouvez débuter par une série de caresses de tout le corps avec le bout des doigts, mais cette fois, n'hésitez pas à effleurer de même les seins, le pubis, les lèvres vaginales, avant de passer aux jambes, à la plante des pieds, et revenez dans un mouvement souple, continu et surtout très léger des doigts. Vous pouvez de même varier la vitesse d'exécution de cette caresse. D'abord lentement, puis plus rapidement, ensuite plus lentement encore... bref, inventez... Il n'est pas nécessaire que vous fassiez ce mouvement en ligne droite; faites des cercles, petits ou larges, des spirales, des vagues, dessinez sur le corps de votre partenaire. Laissez-vous aller!

Une variation excitante de ce mouvement: n'y aller que du bout d'un seul doigt. Délimitez différentes parties du corps de cette façon... Dites-vous bien que si, personnellement, vous trouvez que c'est là du temps perdu, votre partenaire, lui, se rendra compte de l'énorme différence que cela provoque dans son corps.

Reprenez la caresse des seins avec les pouces telle que décrite dans la section précédente. Mais cette fois, avant et après, procédez à de grandes caresses de tout le corps, laissez vos doigts effleurer les lèvres vaginales de votre partenaire, explorez l'intérieur des cuisses, attardez-vous aux seins à l'aide de vos mains, de votre bouche, de votre souffle, puis reprenez les caresses du bout des doigts à la grandeur du corps. Variez aussi avec des caresses du plat de la main. Stimulez les seins de cette façon avant de terminer avec le bout des doigts.

Demandez à votre partenaire de se coucher sur le ventre et reprenez le mouvement de stimulation de la circulation, mais cette fois avec la variante suivante: servez-vous de vos deux mains alternativement pour ce mouvement et, une fois aux fesses, placez une main sur chaque fesse et séparez-les doucement, étirez-les, pétrissez-les, malaxez-les, puis quand vous étendez votre main gauche sur la hanche, glissez les doigts de la main droite dans l'interstice entre les fesses et laissez le bout des doigts souligner les lèvres vaginales avant de passer à la face intérieure des cuisses pour reprendre le mouvement de retour des deux mains. Terminez en enserrant le pied entre vos deux mains à plat et brisez le contact tout doucement avant de recommencer le même mouvement, à quelques reprises, sur les deux jambes.

Du bout des doigts, refaites la caresse circulaire du coccyx. Mais cette fois, au lieu de vous en tenir là, continuez la même rotation, la même vibration des doigts entre les fesses puis sur les lèvres et les faces internes des cuisses et remontez au coccyx.

Reprenez les mouvements de caresses des fesses décrits dans le massage complet... mais cette fois encore, insérez les doigts entre celles-ci, glissez-les doucement sur les parties génitales, intégrez cette région au massage des fesses avant de disperser l'énergie par de larges mouvements sur le dos et les flancs, par la nage par exemple, ou par des effleurements légers.

Voici un autre mouvement d'intégration de la région génitale au reste du corps: placez-vous d'un côté de votre partenaire et glissez une main sur son sexe puis, lentement, le long de la colonne vertébrale, après avoir caressé entre les fesses, et tournez la main jusqu'à ce qu'elle se pose sur la nuque de votre partenaire. Une fois votre main au repos, reprenez le même mouvement de votre main libre et ainsi de suite à plusieurs reprises.

Alternez ces mouvements à partir de la région génitale avec des mouvements s'intéressant en premier lieu aux seins ou ailleurs. Mais n'oubliez jamais de «disperser» dans tout le corps l'énergie générée par ces caresses.

Puis revenez à la partie génitale et, du bout des doigts, avec de tout petits mouvements circulaires, caressez la région entre le sexe et la cuisse, le pli de la cuisse. Attardez-vous au périnée que vous pouvez masser longuement par vibration ou rotation du bout des doigts. C'est une région excessivement sensible qu'on a trop souvent tendance à ignorer (probablement parce qu'on ne sait rien de la charge érotique que la stimulation de cette zone provoque chez l'humain).

N'hésitez pas à appliquer, sauf au périnée, une pression assez forte, notamment sur la face interne des cuisses. Reprenez à de nombreuses reprises le même mouvement de haut en bas et de bas en haut de chaque côté du corps en passant sur le mont de Vénus et revenez de l'autre côté. Attardez-vous un bref moment à la stimulation des lèvres et du clitoris, descendez immédiatement au périnée puis remontez par les cuisses et recommencez. Après quelques mouvements, glissez les mains sur les jambes jusque sur la plante des pieds et le talon et procédez à un effleurement du bout des doigts de tout le corps, passant sur les seins, sur le visage, et terminez par une pression du troisième oeil. Reprenez, si le coeur vous en dit, la stimulation des points extrêmes du corps pour favoriser la circulation énergétique, c'est-à-dire le périnée et le sommet de la tête, en faisant vibrer les doigts, ou par de petits mouvements circulaires de ceux-ci.

Évidemment, ce ne sont là que simples suggestions. À la lecture de cet ouvrage, vous aurez tôt fait d'imaginer d'autres caresses intégrant les parties génitales avec le reste du corps. Vous êtes libre de vos mouvements. N'oubliez pas qu'il n'existe pas de lois en matière de massage surtout quand il est question de massage érotique. Tout est affaire de douceur, lenteur, concentration et surtout... dextérité.

Tout cela ne doit quand même pas vous faire oublier les règles d'or d'un massage réussi, soit-il aussi érotique que vous le désirez, c'est-à-dire une fluidité continue du geste et évitez le plus possible de briser le contact avec votre partenaire.

N'hésitez pas à faire appel à votre bouche, à vos avant-bras, à votre langue et à vos lèvres, pour perfectionner certaines caresses lors de cette étape. Rien ne vous empêche de pratiquer quelques caresses orales sur le sexe de votre partenaire... Mais attention! Pas de stimulation prolongée. Le moment arrive où il sera temps de procéder à ces caresses, mais pour l'instant contentez-vous de provoquer l'afflux d'énergie sexuelle pour mieux disperser celle-ci dans tout le corps.

Ce n'est qu'après un bon moment d'une telle «dispersion» que vous pourrez passer à la dernière étape du massage érotique...

Chapitre X

CARESSES
DES ORGANES GÉNITAUX

Il n'est pas question de vous donner ici un cours complet sur les caresses érotiques, mais sachez cependant qu'il existe différentes méthodes pour caresser directement les organes génitaux de façon à les stimuler de manière efficace, toujours dans le cadre d'un massage érotique. Bien sûr, vous pouvez, sans restriction aucune, reprendre toute la suite des mouvements des sections précédentes en les intégrant avec la section présente, reprendre certaines séquences du massage complet tout en incorporant des caresses des organes génitaux.

Le point essentiel de tout le massage érotique est, rappelons-le, de répandre dans tout le corps l'excitation sexuelle. Donc, si vous vous concentrez uniquement sur les organes génitaux, vous allez provoquer un orgasme sans que la décharge de la tension sexuelle ainsi obtenue ne se répande comme des ondes de choc par tout le corps. Faites plutôt voir «mille soleils» à votre partenaire!

Savez-vous qu'il existe une méthode de massage du vagin même? Bien sûr, il peut être difficile de dissocier le massage du vagin de la démarche amoureuse, mais pourtant, c'est un fait que le vagin est très souvent le siège de tensions accumulées et non résolues. Il va donc se former sur les parois internes du vagin de ces nodosités qu'on retrouve par exemple dans les muscles de la nuque, du dos ou des épaules.

Inutile de dire que cette forme de massage du vagin doit se faire de manière délicate, de même qu'il doit être prolongé. Le massage s'adresse alors aux parois vaginales jusqu'au cervix. De plus, cette forme de massage permet à votre partenaire de faire l'expérience de sa capacité de recevoir les impressions conscientes de cette région.

Pour cette forme de massage, la participation verbale de votre partenaire est nécessaire. Inutile de vous rappeler que la plus grande délicatesse est de mise lors de cette manipulation! Votre partenaire prendra conscience, alors que vous explorez du bout d'un doigt les parois vaginales, qu'il y existe des régions insensibles. Cette insensibilité correspond à la formation de noeuds dans les tissus, provoqués par l'accumulation de toxines. Le but du massage vaginal est donc de faire se résorber ces nodosités par une lente friction douce et prolongée de façon à dissoudre les points d'insensibilité.

Chaque fois que votre partenaire localise un point d'insensibilité, elle vous le signale. Attardez-vous alors à ce point précis et, du bout du doigt, procédez à un lent pétrissage de la paroi vaginale jusqu'à ce que la sensibilité revienne et soit perçue.

Cette forme de massage augmente de façon étonnante la perception lors des relations amoureuses qui vont s'ensuivre.

De même que chez l'homme (du moins chez certains hommes qui ne sont pas bloqués par des inhibitions), le massage de l'anus et surtout de la prostate provoque une stimulation très gratifiante. Inutile de souligner encore une fois le rôle de la prostate dans la cartographie sexuelle masculine. Sachez simplement que la vibration d'un doigt, inséré dans l'anus, provoque des stimulations très excitantes et quand le bout du doigt presse la grappe des tissus formant la prostate, cette stimulation devient alors encore plus sensuelle. Les effets ne sont pas seulement érotiques, mais ils ont une nette incidence sur le bon fonctionnement de cette glande qu'on a trop souvent tendance à considérer comme une partie «inutile» du corps humain.

D'autres techniques? En voici deux autres, l'une pour le vagin et l'autre pour le pénis.

D'abord la caresse vaginale. Placez les pouces directement sur le périnée, cette région située entre le rectum et les parties génitales. Vos pouces doivent être placés l'un immédiatement au-dessus de l'autre. Appliquez une légère pression et glissez-les vers le haut directement sur les lèvres vaginales internes. Quand vous arrivez au clitoris, séparez-les et, l'un se dirigeant vers la droite et l'autre vers la gauche, glissez-les vers le bas directement entre les lèvres internes et externes et ainsi jusqu'au périnée où vous reprenez la position initiale.

Faites ce mouvement de rotation des pouces à plusieurs reprises.

Quant à la caresse du pénis, voici de quelle façon on conseille de procéder. Vous placez le majeur et l'index sur le périnée encore une fois, la paume de la main vers le bas et, lentement, vous glissez ces doigts vers le haut, sans les séparer, jusqu'au scrotum où vous les écartez pour suivre le contour de ce dernier et ensuite joignez-les à nouveau pour les refermer à la base du pénis. Continuez votre lente montée jusqu'au sommet du pénis, glissez les doigts, toujours unis, de l'autre côté jusque sous la couronne. Là, ouvrez les doigts et glissez-les, un d'un côté et l'autre de l'autre, tout le long de la couronne du pénis, pour les unir à nouveau sous le pénis et descendez de la même façon que pour la montée.

Voilà! Inutile de nous attarder plus longtemps aux différents types de caresses s'adressant aux organes génitaux mêmes. Il y a quantité de livres de techniques amoureuses qui vous donneront d'amples et multiples conseils sur l'«art» de caresser ces régions. Assurez-vous cependant de toujours les intégrer à des caresses de tout le corps. Vous ne faites pas d'exploration médicale mais des caresses amoureuses.

C'est là l'étape finale du massage érotique avant que vous consommiez les fruits de ce prélude extatique.

N'ayez pas peur d'utiliser vos mains, votre bouche, effleurez du bout des doigts toute la surface des organes génitaux, ne laissez aucune partie inexplorée. Il ne vous sert à rien de vous concentrer pour obtenir l'excitation maximale de votre partenaire. De toute façon, à ce stade-ci, cette stimulation se produit d'elle-même. L'important, c'est de faire en sorte que votre partenaire prenne conscience que ses organes génitaux font partie intégrante de son corps. En tant que tels, ils sont en droit de recevoir la même attention et les mêmes soins que toute autre partie du corps.

Et n'oubliez pas: «Aimez-vous, aimez votre corps. Il est votre temple, le creuset de toutes les alchimies. Traitez-le bien, et il vous révélera les plus profonds mystères.» (Bhagwan Shree Rajneesh).

Chapitre XI

EFFETS SPÉCIAUX

Cette partie du présent volume se veut de caractère plutôt documentaire. Nous n'avons pas cru bon d'inclure ces différents mouvements dans le cours du massage complet et dans le cadre plus général du massage érotique, pour la bonne raison qu'ils sont parfois violents, parfois difficiles à réaliser. Cependant, il est bon que vous sachiez de quoi il retourne quand on parle de ces mouvements. Aussi nous vous en donnons une liste avec la technique à utiliser dans ce cas.

Encore une fois, nous soulignons que nous ne recommandons pas l'utilisation de ces techniques à moins que vous ne les maîtrisiez parfaitement. Certains mouvements peuvent causer de vives douleurs quand vous ne savez pas les contrôler. Étant donné le but du présent ouvrage, qui se veut d'abord et avant tout une introduction au massage érotique, nous avons préféré traiter cet aspect séparément.

Il existe différents styles de «percussion» dans la technique du massage. On peut les utiliser dans un massage court, conçu pour détendre quelqu'un, ou les intégrer dans le cadre d'un massage de relaxation ou thérapeutique plus complet. Personnellement, nous trouvons que leur utilisation dans le massage érotique, à condition d'être pratiquée par quelqu'un qui en saisit bien toutes les implications, peut avoir une certaine valeur, mais on peut les ignorer sans grand mal.

Bien sûr, s'ils sont exécutés avec soin, ces différents mouvements de percussion peuvent eux aussi être sensuels, mais ils demandent une plus grande maîtrise.

Voici donc en quoi ils consistent:

Le *martelage*: posez une main à plat et, du poing, vous frappez sur cette main. Cet exercice se pratique sur le dos du partenaire en évitant la colonne vertébrale. L'essentiel est d'observer un bon rythme et de surveiller surtout la violence de vos coups.

Les *coups de jointures* se pratiquent avec le plat des jointures. C'est une variante du martelage et, encore une fois, cet exercice se pratique sur le dos du partenaire. Bien sûr, allez-y plus doucement sur la colonne vertébrale.

Le *hachement* consiste à frapper à coups rapides du tranchant de la main sur différentes parties du corps, essentiellement sur le dos et les jambes. Il existe deux variantes du hachement. L'une consiste à frapper avec les doigts collés les uns aux autres et l'autre en écartant le petit doigt de chaque main de manière à absorber le choc avec ce dernier. Évidemment, le hachement est pratiqué en alternant les coups de chaque main. Sur le dos, il faut éviter la colonne vertébrale.

Le *martelage du coude* est un mouvement qui peut être très violent, donc à n'appliquer qu'avec la plus extrême prudence. Il consiste à appuyer le coude sur les muscles et, du plat de sa main libre, on frappe sur le poing de façon à marteler les muscles. Inutile de souligner l'effet que cela peut produire. On ne le conseille d'ailleurs que dans les cas de tension vraiment grave des muscles, sinon, évitez-le.

On peut de même pratiquer les *ventouses de la main*. Ce mouvement consiste à courber les mains de façon à former comme des cuillères dont on frappe alternativement le corps du partenaire. Il se forme alors une succion de la chair provoquée par le vide à l'intérieur de la main. On suit le même trajet que pour le martelage. Ce mouvement, dit-on, est excellent pour «réveiller» la chair.

Le *pincement* se pratique en frappant la chair du bout des doigts des deux mains, en alternant toujours, et lorsqu'on relève la main on presse la chair entre le pouce et les doigts. Le rythme doit être soutenu.

Il existe encore bien d'autres mouvements dits «spéciaux». Rappelons que nous préférons ne pas les mentionner dans ce traité sur le massage érotique simplement parce qu'ils nous semblent ou bien superflus ou trop compliqués à réaliser. Le massage érotique doit, en effet, s'effectuer tout en douceur et en souplesse. Pour cette raison, ces mouvements nous paraissaient contre-indiqués, quelque bénéfiques qu'ils soient en d'autres circonstances.

Dans la panoplie de ces effets spéciaux, mentionnons encore le craquement du cou, l'étirage du cou, la torsion du dos, l'étirage de la poitrine, du dos, le choc des genoux, l'étirage de la cuisse, l'application des ventouses avec vaseline, les ventouses chinoises, le hachement au bambou ou l'emploi des rouleaux.

Vous trouverez dans divers ouvrages sur le massage amplement d'indications nécessaires pour réaliser ces effets spéciaux. Si le coeur vous en dit, pratiquez-les consciencieusement et assurez-vous de bien en saisir le mécanisme avant de les appliquer. Car si certains semblent plutôt simples, il faut cependant beaucoup de maîtrise pour que ces effets spéciaux ne deviennent pas... spécialement douloureux! Rappelez-vous qu'en aucun cas un massage ne doit être douloureux. Ceux qui prétendent le contraire en ont encore long à apprendre sur le sujet!

Chapitre XII

LE MASSAGE À TROIS

Les ouvrages qu'on trouve habituellement sur le marché et qui traitent du massage de relaxation n'abordent pas la question du massage à trois. Certains livres se contentent de la mention «tabarnak!» sous la rubrique du massage à trois. Vous constatez que c'est plutôt pauvre comme technique bien que cette expression puisse décrire de façon adéquate (!) la sensation qu'une personne ressente lorsqu'elle est soumise au massage de deux partenaires en même temps.

Heureusement, il existe d'autres ouvrages qui sont plus prolixes sur le sujet. L'ouvrage de Downing est de ceux-là. Nous puisons donc largement dans cet ouvrage pour la suite de la présente section. Il est évident que vous pouvez trouver ailleurs d'autres indications quant à la façon de procéder. Cependant, nous n'avons pu trouver, malgré des recherches très poussées, d'autres indications quant à la technique à employer dans de tels cas.

Dans le cadre du massage érotique, il est bien évident que vous devez faire partie de ces gens très libérés pour vous adonner dans un but sexuel au massage à trois. Mais, que ce soit simplement un massage de relaxation ou que cela devienne un massage érotique, les indications sont les mêmes quant au déroulement général de la séance.

Voici donc quels sont les principes qui doivent diriger le déroulement d'une séance de massage à trois, c'est-à-dire deux masseurs sur un même sujet.

L'élément clé, c'est avant tout la symétrie de mouvements des deux masseurs et surtout la synchronisation de leur rythme. Pour cette seule raison, vous vous rendez compte qu'il faut que les deux masseurs s'entendent bien ensemble, se «sentent» en quelque sorte l'un l'autre, ne serait-ce que pour harmoniser leurs mouvements et que le sujet en retire une sensation autre qu'une «cacophonie» de mouvements sans queue ni tête, plus déroutante que bienfaisante, surtout dans le cas du massage érotique.

Une bonne méthode pour arriver à cette synchronisation, cette harmonisation des mouvements, c'est de commencer par les jambes. Chaque masseur se concentre sur une jambe et procède, selon un plan pré-établi entre eux, aux mouvements décrits sous cette rubrique. Une longue friction de la jambe permet en effet aux deux masseurs de se mettre sur la même longueur d'onde. Qu'ils prennent bien leur temps pour arriver à établir entre eux deux une harmonie de gestes.

Il y a évidemment des parties du corps où l'harmonisation du rythme et des gestes est plus facile à obtenir. Ainsi les mouvements sur les bras, les mains, les jambes, les pieds et les fesses ne demandent que la duplication du même mouvement. Deux masseurs qui possèdent un tant soit peu d'expérience au niveau du massage complet n'auront probablement pas de difficultés à harmoniser leurs gestes. La question du rythme peut poser un problème au départ, mais progressivement, ils réussiront à travailler tous deux à l'unisson.

Là où le problème se complique, c'est quand on aborde le dos, la tête, la poitrine et l'abdomen... Vous avez le choix: ou bien une seule personne continue le massage sur ces parties, ou vous trouvez une façon de travailler à deux.

Si une seule personne entreprend le massage de ces régions, l'autre masseur peut ou bien se tenir tranquillement à l'écart ou alors masser une autre partie du corps du partenaire. Selon Downing, chaque option présente des avantages. Mais, encore là, il faut tenir compte des goûts du sujet.

Il semble cependant qu'il y ait une exception à tout ce joli scénario. En effet, beaucoup de gens aiment se faire masser en même temps la tête et les pieds. Donc, si tel est le cas pour votre partenaire, n'hésitez pas à procéder de cette façon.

Par contre, si vous tenez absolument à travailler tous les deux en même temps sur le dos ou le torse, il existe quelques mouvements qui vous permettront de poursuivre le massage. Voici la description de ces mouvements.

Sur les côtés

Que le partenaire soit étendu sur le ventre ou sur le dos, vous pouvez lui masser les flancs simultanément sans vous nuire l'un l'autre. Voici de quelle façon procéder: vous vous placez tous deux l'un en face de l'autre, de part et d'autre de la table à massage et vous posez vos mains sur le côté qui vous est opposé. Posez vos mains de façon que vous en ayez une entre les mains de votre vis-à-vis. Et de cette façon, vous procédez au mouvement de «soulèvement» de la chair comme décrit précédemment, c'est-à-dire que vous soulevez les mains en les tirant vers vous, en alternant la gauche et la droite, tout en appliquant suffisamment de pression pour soulever les muscles au moment où vous levez la main. Synchronisez vos mouvements avec ceux de votre vis-à-vis et descendez ainsi jusqu'à la taille et même aux hanches avant de remonter jusqu'aux aisselles. Vous pouvez répéter ce mouvement à plusieurs reprises.

Dos et jambes simultanément

L'un de vous se place à la tête du partenaire et l'autre à ses pieds. L'idée du mouvement suivant est de masser en même temps le dos et les jambes avec le même mouvement ascendant et descendant des mains sur ces parties du corps. Ce mouvement peut se faire soit sur le dos ou la poitrine. Donc vous frictionnez de haut en bas soit la poitrine, soit le dos de votre partenaire, pendant que votre vis-à-vis pratique le même mouvement sur les jambes, les cuisses et les fesses, mais sans toucher le dos.

Il faut que les mains montent et descendent exactement au même rythme et à l'unisson. Paraît-il que c'est une sensation délirante que d'avoir ainsi quatre mains qui vous frictionnent sur tout le corps au même rythme.

La «main géante»

Ce mouvement s'adresse surtout au dos et aux fesses. Encore une fois, vous vous placez face à face et vous joignez les mains en entrecroisant vos doigts. Vous formez ainsi une «main géante» que vous glissez sur le dos et les fesses selon des mouvements circulaires ou autres. Il est conseillé, dans ce cas-ci, de laisser l'un des deux prendre la direction des opérations pour ne pas briser le rythme du mouvement.

Il existe aussi d'autres mouvements que vous pouvez pratiquer ensemble. Downing conseille d'essayer la technique de la griffe, la friction de circulation à partir d'une jambe et ensuite sur le dos, mouvement que vous faites tous les deux simultanément, ou encore les caresses sur toute la surface du corps, ou même les caresses d'effleurement du bout des doigts, ou encore la technique du ciseau.

De même, vous pouvez essayer, sans vous préoccuper de rythme ou de synchronisation, de laisser vos mains brosser le corps tout entier selon votre bon plaisir. Évidemment, il peut arriver alors que le sujet ressente une «drôle» d'impression et se sente un peu dépaysé, «déphasé», sous la sensation de quatre mains qui se baladent librement sur son corps, un peu comme si une pieuvre se promenait sur lui, mais l'impression peut être très stimulante aussi. Essayez-le et observez attentivement les réactions de votre sujet.

Ce sont là quelques mouvements que vous pouvez effectuer à deux sur le même partenaire. S'il s'agit d'un massage érotique, nous ne saurions assez vous conseiller de vous synchroniser pour ne pas provoquer trop rapidement la montée de la tension sexuelle. Dès lors, il conviendra de bien observer un plan de déroulement de vos mouvements. Concertez-vous avant le massage et décidez du déroulement général de la séance, sinon vous risquez de vous nuire plus que de collaborer.

CONCLUSION

Il n'est guère besoin d'ajouter à ce que nous avons déjà dit. Le massage érotique étant une méthode pour vous permettre de mieux découvrir et jouir de votre sexualité, nous ne saurions que vous conseiller de le pratiquer aussi souvent qu'il vous plaira. Bien sûr, si vous êtes des novices dans le domaine du massage, il pourra vous sembler fastidieux de répéter encore et encore les mêmes gestes.

Cependant, si vous vous soumettez vous-même à cette expérience, vous vous rendrez compte que la répétition de ces mouvements de massage n'est pas qu'une espèce de torture pour vous soumettre à un sentiment de frustration de plus en plus aigu! Que non!

Le massage érotique vous permettra d'accéder à un autre palier de sexualité, vous ouvrira des dimensions sensuelles inconnues jusqu'alors. Ne reculez pas devant ce qui peut vous sembler une répétition fastidieuse, mais foncez. Adonnez-vous au massage avec amour, en essayant de ressentir au plus profond de vous-même les vibrations que vos caresses font naître dans le corps de votre partenaire.

C'est ainsi, par la pratique et l'écoute de l'autre, que vous parviendrez à vaincre les barrières du quotidien et à accéder à un univers de compréhension mutuelle dont vous n'avez pas idée.

Le massage érotique est un chemin, une porte. Si vous passez outre, vous ne pourrez jamais découvrir les bienfaits qui vous auraient permis de dépasser votre seuil d'érotisme. Mais entrouvrez seulement la porte et... explorez!

Osez! Ce n'est que de cette façon que vous parviendrez véritablement à dépasser la quiétude morne de votre quotidienneté, autant dans les domaines de la détente, de la relaxation que de l'amour et de la sensualité.

Chemin de la plénitude sexuelle, le massage érotique élargira vos frontières amoureuses et vous donnera enfin l'occasion bienheureuse de goûter à toutes les dimensions de votre véritable sexualité.

BIBLIOGRAPHIE

BERNARD, M., *Le corps.* Delarge Éditeur, Paris. 1976.

BERTHERAT, Th. & BERNSTEIN, C., *Le corps a ses raisons.* Du Seuil, Paris, 1976.

CHANG, J., *Le tao de l'art d'aimer.* Calmann-Lévy, Paris, 1977.

COLLECTION DE BOSTON POUR LA SANTÉ DES FEMMES, *Notre corps, nous-mêmes.* Albin Michel, Paris, 1977.

CZECHOROWSKI, H., *La pratique des massages.* éd. Seghers, Paris, 1976.

DE MONCEAUX, Lise, *Santé, beauté, longévité par les huiles essentielles.* Éditions de Monceaux, Montréal, 1979.

DESCAMPS, M.-A., *Le nu et le vêtement.* Éditions Universitaires, Paris, 1973.

DOLTO, B., *Le corps entre les mains*. Éd. Hermann, Paris, 1976.

DOWNING, George. *The Massage Book*. Random House/The Bookworks, Toronto, 1972.

FOUCAULT, Michel, *La volonté de savoir (Histoire de la sexualité)*. Gallimard, Paris, 1976.

INGHAM, Eunice, *Stories the feet can tell*. Éd. Ingham Pub., New York, 1959.

INGHAM, Eunice, *Stories the feet have told*. Éd. Ingham Pub., New York, 1959.

INKELES, Gordon & TODRIS, Murray, *L'art du massage*, L'Étincelle, Montréal, 1972.

IRWIN, Yukiko, *L'acupuncture sans aiguille par le massage japonais (Shiatzu)*. Éditions du Jour, Montréal, 1976.

LEBOYER, F., *Shantala*. Du Seuil, Paris, 1976.

LECLERC., A., *Parole de femme*. Grasset, Paris, 1976.

LOWEN, Dr. Alexander, *La Bio-Energie*. Tchou Laffont, Paris, 1976.

LOWEN, Dr. Alexander, *Le plaisir*. Tchou, Paris, 1976.

LOWEN, Dr. Alexander, *Amour et Orgasme*. Éditions du Jour/Tchou, Montréal/Paris, 1976.

LOWEN, Dr. Alexander, *Le corps bafoué*. Tchou, Paris, 1977.

MONTAGU, A., *La peau et le toucher. Un premier langage*. Du Seuil, Paris, 1979.

NASLEDNIKOV, Mitsou, *Le chemin de l'extase*. Albin Michel, Paris, 1981.

OHASHI, Wataru, *Le livre du Shiatsu (L'art de l'acupuncture sans aiguilles par le massage japonais)*. L'Étincelle, Montréal, 1977.

PAGES, Max, *Le travail amoureux*. Dunod, Paris, 1977.

PASINI, Willy & ANDREOLI, Antonio, *Éros et changement (Le corps en physiothérapie)*. Payot, Paris, 1981.

RAJNEESH, Bhagwan Shree, *Meditation: the Art of Ecstasy*. Harper & Row Pub., New York, 1976.

RAJNEESH, Bhagwan Shree, *Book of Secrets*. Bhagwan Shree Rajneesh Foundation, Poona, Indes.

RAJNEESH, Bhagwan Shree, *Hammer on the Rock*. Harper & Row Pub., New York.

REICH, Wilhelm, *La révolution sexuelle*. Union générale d'éditions, Plon, Paris, 1968.

REICH, Wilhelm, *L'analyse caractérielle*. Petite bibliothèque Payot, #289, Paris, 1971.

ROFIDAL, Jean, Do.In. Marcel Broquet Éditeur, Montréal, 1981.

ROSENBERG, J., *Jouir*. Tchou, Paris, 1976.

RUSH, A.K., *Getting clear. Body work for women*. A Random House/The Bookworks, Berkeley, 1973.

SALOMON, P., *L'art du corps*. Desclez, Montréal, 1981.

SCHUTZ. W., TURNER, E., *Body fantasy*. Harper & Row Pub., San Francisco, 1977.

SCOTT, Byron, *Le massage*. Éditions de l'Homme, Montréal, 1974.

SERIZAWA, K., *Massage. The oriental method*. Japan Pub. Inc., 1972.

VALÉRIE, Denyse, *Massage à domicile*. Éd. Quebecor, Montréal, 1980.

VARENNE, J., *Le tantrisme. La sexualité transcendée*. Culture, Art, Loisirs, Paris, 1977.

YOUNG, Constance, *Massage, un art sensuel*. Héritage, Montréal, 1976.

WEILL, P., *Votre corps parle*. Marabout, Paris, 1975.

TABLE DES MATIÈRES